KT-160-863

Er cof am Taid a Nain,
Dafydd Arthur a Gaynor Pritchard

Arwyn Herald

Yn frodor o Rosgadfan, bu Arwyn yn gweithio i'r *Caernarvon and Denbigh Herald* a'r *Herald Cymraeg* ers 1975, yn gyntaf yn yr argraffdy ac wedyn fel ffotograffydd. Mae wedi crwydro ledled Cymru a'r tu hwnt yn rhinwedd ei swydd, ond erys yn fachgen ei filltir sgwâr.

Ian Edwards

Dechreuodd Ian ei yrfa fel gohebydd ar y *Caernarvon and Denbigh Herald*, ac mae bellach yn aelod o dîm newyddiadurol *Y Byd ar Bedwar*. Bu iddo gydweithio ag Arwyn o'r blaen ar lyfr am gau ffatri Friction Dynamics yng Nghaernarfon ac ar lyfr ffotograffau cyntaf Arwyn, *Drwy Lygad y Camera*.

Pobol Arwyn Herald

Arwyn Roberts

2000613053

NEATH PORT TALBOT LIBRARIES

Diolchiadau

Ian Edwards

Mark Hildige

Tegwyn Roberts

Linda Roberts

Y *Caernarvon and Denbigh Herald* (Grŵp Trinity Mirror)

Ioan Thomas, Caernarfon

Alan Dop

Clawr ôl: Bechgyn Ysgol Bontnewydd yn dathlu eu llwyddiant ar y cae pêl-droed. Ionawr 1995.

Argraffiad cyntaf: Tachwedd 2012

Hawlfraint y lluniau: Arwyn Herald
Hawlfraint y testun: Arwyn Herald
Hawlfraint y gyfrol: Gwasg Carreg Gwalch

Cynllun y clawr: Tanwen Haf
Llun y clawr: Tegwyn Roberts
Llun o'r awdur: Alan Dop

Cedwir pob hawl.
Ni chaniateir atgynhyrchu unrhyw ran o'r cyhoeddiad hwn, na'i gadw mewn cyfundrefn adferadwy, na'i drosglwyddo mewn unrhyw ddull na thrwy unrhyw gyfrwng, electronig, electrostatig, tâp magnetig, mecanyddol, ffotogopio, recordio nac fel arall, heb ganiatâd ymlaen llaw gan y cyhoeddwyr,
Gwasg Carreg Gwalch, 12 Iard yr Orsaf, Llanrwst,
Dyffryn Conwy, Cymru LL26 0EH.

Rhif Llyfr Safonol Rhyngwladol: 978-1-84527-375-0

Mae'r cyhoeddwyr yn cydnabod cefnogaeth ariannol
Cyngor Llyfrau Cymru.

Argraffwyd a chyhoeddwyd gan Wasg Carreg Gwalch,
12 Iard yr Orsaf, Llanrwst, Dyffryn Conwy LL26 0EH.
Ffôn: 01492 642031
Ffacs: 01492 641502
e-bost: llyfrau@carreg-gwalch.com
lle ar y we: www.carreg-gwalch.com

NEATH PORT TALBOT
LIBRARIES

CL 779.092
DATE 9/13 PR 6.00
LOC. COM
No. 2000613683

Cynnwys

Cyflwyniad

'Hogyn o Rosgadfan wyt ti ynte?' Dyna fydd sawl un yn ei ofyn, ond fy ateb i yw mai ym Mhenffridd y mae fy nghartref. Yno y magwyd fi, ac yno rydw i'n byw hyd heddiw.

Atgofion o blentyndod hapus sydd gen i ar yr aelwyd adref – Nhad, Robat Wyn, yn chwarelwr yn Chwarel y Foel, a Mam, Mair, yn cadw'r cartref ac edrych ar fy ôl i (ac roedd hynny'n waith llawn amser dwi'n siŵr). Aeth Nhad i weithio yn ffatri Peblig, Caernarfon ar ôl i'r Foel gau.

Pan oeddwn yn blentyn, y fferm ac anifeiliaid oedd yn mynd â'm bryd, a threuliais lawer o amser gydag Yncl Dic, Cae Uchaf (Richard Jones) a'i wartheg. Cofiaf gario'r llefrith adref mewn piser – doedd dim sôn am basteureiddio'r adeg honno! Roedd Rhosgadfan yn ardal braf i blentyn i dyfu i fyny ynddi, hefo digon o le i anturio yn y mynydd a'r tomenni llechi. Yn y pentref bach roedd yna ddwy siop, becws, siop cigydd, neuadd bentref (lle ffilmiwyd golygfeydd stafell bwyllgor *C'Mon Midffîld*), a thri chapel. Bellach does yr un ohonyn nhw ar ôl.

Yn bedair oed, roeddwn yn dechrau yn ysgol y pentref. Y cof cyntaf sydd gen i ydi o Mam yn mynd â fi i lawr i'r ysgol, gan stopio ym mecws Yncl Nen i gael teisen neu greision i fynd i'r ysgol. Roedd pawb yn ffrindiau efo Yncl Nen oherwydd ei arferiad o roi rhywbeth bach ychwanegol yn y bag yn gyson.

Aeth fy mlynyddoedd ysgol heibio'n od o gyflym, ac mae f'atgofion mwyaf pleserus o'm cyfnod olaf yn yr ysgol pan fyddai taid, Dafydd Arthur Pritchard, yn dod i fy nôl amser cinio ar ei foto beic a rhoi pas i mi i'r Dreflan, lle'r oedd Nain, Gaynor Pritchard, wedi paratoi cinio i mi. Da oedd Nain a Taid.

Chwaraeodd Capel Gorffwysfa ran fawr yn fy mhlentyndod gan ei fod y drws nesaf i ni, a Nhad yn flaenor gweithgar yno. Yn y dyddiau hynny roedd gwasanaethau yn y bore, ysgol Sul yn y prynhawn a chyfarfod hwyrol. Byddai gweinidogion o bell yn aros efo ni tan oedfa'r nos a chael cinio Sul wedi ei baratoi gan Mam. Un o'r rhai dwi'n ei gofio ydy'r diweddar Barchedig Gwyndaf Evans, y cyn-Archdderwydd, a chredwch fi, roeddwn i'n gorfod bihafio'r diwrnodau hynny!

Treuliais ddwy flynedd ar ddechrau'r saith degau yn Ysgol Segontiwm, Caernarfon. Roedd hwn yn gam mawr i hogyn bach ofnus o Benffridd, er bod fy nghyfnither Heulwen yno'n barod. Symud i Ysgol Syr Hugh Owen wedyn – a gwisg ysgol newydd eto! Gofynnwyd i mi lawer tro yn y fan honno pa yrfa oeddwn i am ei dilyn ar ôl gadael. Ar y pryd doedd gen i ddim syniad, a dwi'n siŵr bod plant yr oes yma'n teimlo'r un fath hefyd.

Ar ôl gadael yr ysgol a mentro i'r byd go iawn, dechreuais fy ngyrfa efo'r *Herald*. Dros y 37 mlynedd ddiwethaf dwi wedi gweld newidiadau enfawr yn y byd newyddiadura – rhai er gwell, mi fentraf ddweud! Er enghraifft, doedd dim sôn am iechyd a diogelwch ers talwm!

Yn ystod fy ngyrfa rwyf wedi cyfarfod â llawer ac wedi bod yn rhan o lu o ddigwyddiadau, ond yn 2005 cefais yr anrhydedd o gael fy nerbyn i'r Orsedd yn Eisteddfod Genedlaethol Eryri, am fy nghyfraniad i newyddiadura. Anrhydedd heb ei disgwyl! Cefais fy enwebu gan y diweddar Selwyn Iolen, dyn yr oedd gen i barch mawr tuag ato, a'r flwyddyn honno oedd ei flwyddyn gyntaf yntau fel Archdderwydd. Anghofia' i fyth y diwrnod hwnnw ar dir y Faenol; yr haul yn gwenu a'r balchder yn amlwg ar wyneb Mam, a oedd wedi cael dod yno i weld y cyfan gyda fy nghyfnither, Ann.

Mae'r Eisteddfod a diwylliant Cymreig yn bwysig iawn i mi, ac wrth fynychu eisteddfodau a gwyliau yn rheolaidd mae rhywun yn sylwi, bobol bach, fod cymaint o dalent yn ein milltir sgwâr a thrwy Gymru.

Mae'n fywyd difyr a chyffrous gweithio fel ffotograffydd i bapur lleol fel yr *Herald*, a diolch i Dduw, does yr un diwrnod yr un fath. Mae'n braf cael dweud fy mod yn dal i gael yr un wefr yn fy ngwaith bob dydd ag yr oeddwn pan atebais yr hysbyseb yn yr *Herald* dros 35 o flynyddoedd yn ôl. Cofiwch, mi oeddwn i'n ifanc iawn yn dechrau!

Arwyn Herald

Ar ôl gweld pa mor boblogaidd oedd llyfr cyntaf Arwyn, ro'n i wrth fy modd pan glywais bod un arall ar y gweill.

Rydym ni yn yr *Herald* yn falch iawn o Arwyn a'i waith – mae ganddo'r ddawn o ddal cymeriad pobol yn ei luniau, ac mae hyn yn amlwg yn y llyfr hwn.

Linda Roberts, Golygydd Gweithredol Cyfres Caernarfon Herald.

Cefn Gwlad

Mae darllenwyr yr *Herald* wrth eu boddau'n darllen straeon am gefn gwlad (a'r bywyd cymdeithasol difyr sydd wedi datblygu yn yr ardaloedd gwledig). Er bod y byd amaethyddol yn fywyd ara' deg, i mi mae'n fywyd ofnadwy o ddiddorol oherwydd y llu o gymeriadau difyr y bu i mi ddod ar eu traws ar hyd y blynyddoedd.

Yn fy nyddiau cynnar fel ffotograffydd ro'n i'n treulio'r rhan fwyaf o'm amser yn mynd ar goll wrth drio dod o hyd i rai o ffermydd anghysbell Gwynedd. Yn y dyddia' hynny doedd 'na ddim ffasiwn beth â ffonau symudol na sat naf – teclynnau ofnadwy o ddefnyddiol sydd bellach yn gwneud fy mywyd yn llawer haws! Ambell waith roedd hi'n banics mawr, a finna dan bwysau dedlein yn chwilio am giosg a darn deg ceiniog er mwyn cysylltu â'r fferm i gael cyfarwyddiadau!

1 Gareth Evans Jones a Gareth Roberts, Carwad o Glwb Ffermwyr
Ifanc Penmynydd, Môn, yn ennill ar y Ddeuawd Ddoniol yn
Eisteddfod y Ffermwyr Ifanc yng Nghricieth yn 1995. Tydyn nhw'n
ddel?

2 Wil Efail Rhos yng ngorsaf betrol Rhoshirwaun. Hydref 1985.

3 Bethan Jones, Edern. Gorffefnnaf 1997.

4 Teulu ferm Pont y Cribyn, Llannor, Fferm y Flwyddyn yn Sioe Fawr 1995. Stanley a Non Roberts a'u merch Siwan Bryn a mam Non, Margaret Elen Jones, Mehefin 1995.

5 Y diweddar Liz Carter, gohebydd ffermio'r *Herald*, yn cael ei gwobrwyo gan Bob Parry o Undeb Amaethwyr Cymru am ei chyfraniad i newyddiaduraeth ffermio yn 1991.

Doedd gan Liz ddim clem am y wobr. Llwyddais i'w pherswadio hi i ddod yr holl ffordd i lawr i'r Sioe Fawr yn Llanelwedd efo fi drwy ddeud wrthi bod 'na stori fawr ar fin torri y diwrnod hwnnw. Pan gyraeddodd, dyma hi'n darganfod mae hi oedd y stori!

'You're a very naughty boy!' medda' hi wrtha' i yn fuan ar ôl tynnu'r llun.

Yn anffodus, bedair blynedd yn ddiweddarach, bu farw Liz ar ôl colli ei brwydr yn erbyn cancr. Bellach mae'r ffon wrth fy nesg yn swyddfa'r *Herald* yn Nghaernarfon a byddaf yn edrych arni gan gofio am ffrind da a newyddiadurwraig tu hwnt o ddawnus.

6 Ifan Evans a'i dad Gwynfor, Ty'n Rhos, Sarn. Ifan oedd enillydd Cwpan Coleg Glynllifon - a Thystysgrif Genedlaethol mewn Amaeth yn 1988.

7 Aled Williams, Gwynfryn, Tudweiliog yn ennill gwobr am safon ei lefrith. Chwefror 1989.

8 Dennis Davies, Pentreuchaf hefo Llannor Lady, enillydd y Champion Section yn Sioe Nefyn yn 1998.

9 Disgyblion Ysgol Botwnnog, Mawrth 1991. Hyd y gwn i, hon oedd yr unig ysgol yng Ngwynedd gyda fferm ar ei thir. Roedd y plant yn hapus iawn i wirfoddoli i ddod i'r ysgol yn ystod gwyliau er mwyn edrych ar ôl yr anifeiliaid!

10 Cwmni Cig Arfon: Iolo Povey, Wavell Thomas, a Melfyn Ellis. Rhagfyr 1992.

11 Dyn y ceffylau gwedd, William Huw Griffiths, Penisa'r-waen, yn y Sioe Fawr. Gorffennaf 1991.

12 Rydw i o hyd yn edrych ymlaen at eisteddfodau Mudiad y Ffermwyr Ifanc. Mae 'na wastad lawer iawn o hwyl i'w gael, yn enwedig efo'r sgetsys comedi. Clwb Ffermwyr Ifanc y Rhiw oedd y rhain yn 1992, yn y cyfnod pan oedd y Chippendales yn boblogaidd — ond roedd rhai o'r stripars yma'n debycach i Chips 'n' Ffish na Chippendales!

Mae'n debyg bod o leia un o'r hyncs cyhyrog wedi creu tipyn o argraff ar Glesni Jones, y ferch sy'n mwynhau sylw pin yps Pen Llŷn – mi briododd un ohonyn nhw! A phwy wyddai fod gan y twrne Michael Strain gymaint o fysyls?

13 Merched Clwb y Rhiw, Eisteddfod y Ffermwyr Ifanc, Cricieth. Tachwedd 1992.

14 Medwen Parry, neu Medwen Plas, Clwb y Rhiw.

15 Ymweliad criw o Goleg Meirion Dwyfor â ffatri laeth Rhydygwystyl. Ionawr 1995.

16 Ymweliad plant Trefor â fferm Glynllifon. 1992.

17

17 Dafydd Morris ar lethrau'r Wyddfa.
Gorffennaf 1997.

18 Non Griffith, oedd yn gweithio fel
newyddiadurwraig efo fi ar y pryd, gyda'i,
theulu yn Sioe Pwllheli. Gorffennaf 1992.

19 Irfon Jones, Pontrug, gydag un o'i ieir yn
Sioe Nefyn. Ebrill 1997.

20 Dileit Emyr Parry o Hen Dŷ Pencaerau
oedd cael ei fachau ar rhyw hen drol a'i
hail-wampio. Roedd lot fawr o lafur cariad
yn mynd i'w waith ac roedd y canlyniad
wastad yn werth ei weld. Yn 1991 bu'n
ddigon ffodus i ddarganfyod yr hen drol
yma mewn ocsiwn hen betha. Trol a fyddai
wedi cario rhywun go bwysig oedd hi, yn
dyddio'n ôl i ddiwedd y ddeunawfed ganrif.
Dyma fo a'i geffyl, Danny, yn edmygu ei
gampwaith.

19

18

20

21

22

23

21 Enillydd tlws Llwyd o'r Bryn yn Eisteddfod
Y Wyddgrug yn 1991 oedd Rhian Parry,
Crugeran, Sarn, ym Mhen Llŷn.

Yn ogystal ag ennill y wobr hon roedd
Rhian yn wyneb cyfarwydd iawn fel
cyflwynydd nosweithiau llawen yn lleol. Es
draw i'r fferm i dynnu'r llun yma — efo hi
mae ei mab, Hari, a'r genod Hanna ac Anni
Llŷn.

Enillodd Anni wobr Prif Lenor Eisteddfod
yr Urdd Eryri yn 2012. Mae bellach hefyd yn
gyflwynydd ar rhaglen S4C, *Stwnsh*.

22 Cystadleuaeth Mr Royal Welsh.
Gorffennaf 1991.

23 Iwan ac Irfon Hughes, Tŷ Cerrig,
Garndolbenmaen, yn Sioe Pwllheli.
Gorffennaf 1992.

24 Michael Wyn Jones a'i fab, Tyddyn Perthi, Penisa'r-waun gydag un o'u gwartheg duon yn y Sioe Fawr. Gorffennaf 1991.

25 Robin Jones, Caernarfon yn cystadlu yn Sioe Gogledd Cymru. Awst 1984.

26 John Ryan Griffiths, Talysarn, enillydd *One Man and His Dog* ar y BBC. Tachwedd 1993.

27 John Williams a'i ferch yn cystadlu yn y Sioe Fawr. Gorffennaf 1991

28 Brian Davies yn cystadlu gyda'i darw Du Cymreig yn Sioe Nefyn. 1997.

29 Aled Wyn Davies, Bronallt, Morfa Nefyn, efo'i ddafad Texel yn Sioe Nefyn. Ebrill 1998.

30 Dyma enghraifft arbennig o gymuned wledig yn dod at ei gilydd er mwyn helpu cymydog anghenus. Roedd cinio Nadolig llawer iawn o bobol Pen Llŷn yn dibynnu ar un o wyddau Robert Jones, Crugan, Llanbedrog, ond yn nghanol ei gyfnod prysuaf fe dorrodd ligament yn ei law wrth drin yr adar, druan â fo. Wrth lwc roedd ei gymydog, William Rowlands a mab Robert, Richard, yn fwy na pharod i gynnig help llaw a sicrhau bod mwy 'na sbrowts ar blatia' pobol Llŷn ar ddiwrnod Dolig 1991.

31 Mae 'na hen ddywediad yn ardal Caernarfon: 'Mae 'na fwy i wy na phlisgin', ac mae hyn yn wir hefyd am Gwilym Plas. Ffermwr yn rhedeg busnes dosbarthu wyau ydi o, ond ym myd y ddrama y mae o fwyaf adnabyddus. Ers degawdau, mae wedi bod yn hyfforddi actorion Cwmni Drama Llwyndyrys, arwain nosweithiau llawen ac ysgrifennu dramâu ei hun, ac yn 2005 cafodd ei anrhydeddu â medal Syr T. H. Parry-Williams am ei gyfraniad i ddiwylliant lleol yn yr Eisteddfod Genedlaethol.

32 Yr arwerthwr Kirk Emery ym marchnad Bryncir, 1994. Mae pawb yn fy adnabod fel ffotogaffydd, felly efallai na wyddoch chi fy mod wedi cael gyrfa arall cyn codi'r camera. Fy swydd gyntaf oedd fel ocsiwnîar ym mart Bob Parry ym Mryncir — ond yn anffodus i fyd amaeth dim ond chwech wythnos y bûm yn y swydd. Rhoddais y gorau iddi am fy mod yn casau gorfod treulio amser mewn cylch gydag anifeiliaid! Erbyn hyn, mae rhywbeth yn eitha eironig am hynny, o ystyried fy mod i wrth fy modd yn gwneud yr union beth hwnnw yn Sioe Llanelwedd ers bron i ddeng mlynedd ar hugain!

33 Dr Greta Hughes, Swyddog Pysgodfeydd ac arbenigwraig ar bopeth morwrol ym Mhen Llŷn. Gorffennaf 1995.

34 William Jones, Fferm Berth, Llanllyfni cyn dyddiau'r ffordd osgoi. Mai 1995.

35 Mr Gruffydd Huws o fferm Garnfadryn efo'i chwadan, Wil. Ond nid chwadan gyffredin oedd Wil — cafod yr anrhydedd o gael ei henwi yn y *Guiness Book of Records* fel 'The World's Oldest Living Duck' yn ôl yn 1991. Roedd hynny'n ddigon o reswm i mi ac un o'r gohebwyr fynd draw i dynnu llun Wil ar ei ben-blwydd, a chawsom wahoddiad i de parti o grempogau yng nghegin y fferm. Er mai Wil oedd y seren, chafodd o ddim gwahoddiad i ddod i mewn i fwynhau'r dathlu efo ni! Dwi'n cymryd bod Wil wedi hen farw bellach ond 'dach chi byth yn gwybod...!

Tŷ Potas

Mae Tŷ Potas yn hen enw ar dafarn lle mae pobol yn mynd i feddwi ac i gadw reiat.

Bellach mae tafarndai yn rhan bwysig iawn o'n cymunedau, ac mae'n biti mawr gweld cymaint ohonyn nhw'n gorfod cau eu drysau yn ystod y cyfnod yma o ddirwasgiad.

I newyddiadurwr, wrth gwrs, mae'r dafarn leol wastad wedi bod yn ffynhonell ffrwythlon o straeon, yn enwedig ar ôl i'r tafod lacio yn dilyn peint neu ddau! Roeddwn i'n arfer ysgrifennu manylion ambell stori efo beiro ar gefn fy llaw ar nos Sadwrn, a'u hysgrifennu nhw yn iawn ar bapur cyn molchi ar fore Sul!

1 O'r banc i'r bar oedd hanes Tony Burke o Borthmadog. Ar ôl blynyddoedd o weithio fel ymgynghorwr busnes i fanc y Nat West ym Mhorthmadog penderfynodd roi cynnig ar gadw tafarn y Bryn Hir Arms yn Nghricieth. Tynnwyd y llun yma fis Tachwedd 1995.

2 Staff y Black Boy ar ddiwrnod Plant Mewn Angen. Tachwedd 1985.

3 Robat ac Ann yn y Black Boy. Tachwedd 1990. Tafarn Y Bachgen Du – neu'r Black Boy — ydi'r dafarn hynaf yn Nghaernarfon. Mae hefyd yn ail gatref i mi! Dwi 'di bod yn mynd yno am beint ers i mi droi'n ddeunaw oed — ac ychydig cyn hynny hefyd i fod yn yn gwbwl onest!

Dwi wedi treulio oriau wrth y bar neu mewn cornel dywyll yn y Blac (fel mae'r Cofis yn ei galw) yn trin a thrafod, chwerthin, crïo a rhoi'r byd yn ei le.
Dwi'n hoff o awyrgylch hanesyddol y lle. Ambell waith mae'r dafarn fel petai'n fyw gydag ysbryd y cenedlaethau o Gofis sydd wedi bod trwy'r drysau — mae'r awyrgylch a'r ffrindiau unigryw rydw i wedi'u gwneud wrth y bar dros y blynyddoedd yn fendigedig.

4 Carolyn a Gwil, Twll yn y Wal, Caernarfon. 1991.

5 Hogia Caernarfon yn y Black Boy. Ionawr 1997.

6 Ymysg y criw yma o gefnogwyr Clwb Pêl-droed Caernarfon yn nhafarn y Black Boy mae Aelod Seneddol Aberconwy, Guto Bebb.

7 Glyn Edwards, tafarnwr yr Anglesey, Caernarfon. Ebrill 1993.

8 Barry Powell a fu'n rhedeg tafarn y Ship & Castle, Caernarfon.

9 Bethan Fôn ac Andy Roberts fu'n rhedeg y Crown yng Nghaernarfon. Ionawr 1997.

10 Helen a Brian, Twll yn y Wal, Caernarfon. Chwefror 1998.

11 Locals y Black Boy. 1991.

12 Y Teulu Craig yn cymryd drosodd yn nafarn yr Harp, Caernarfon. 1994.

13 Locals y Blac, Derlwyn, Len a Keith. 1990.

14 Twm a Sally yn y Penionyn, neu'r Llanfair Arms i roi ei henw cywir iddi, yn Groeslon. Chwefror 1992.

15 Celyth Jones, barman y Black Boy. 1989.

16 - 20 Agoriad Swyddogol Clwb y Paradox. Roedd cryn dipyn o gyffro yn nhre Caernarfon yn Chwefror 1997 pan agorwyd drysau clwb nos y Paradox am y tro cyntaf. Ers colli clwb y Majestic mewn tân yn 1994 doedd nunlle yn y dre i bobol fynd ar ôl i'r tafarnau gau eu drysau. Wrth edrych ar y niferoedd yn aros yn y ciw i gael dawns a Tequila Sunrise neu ddau, roedd o'n lle poblogaidd iawn.

21 Tîm dartiau'r merched yn y Black Boy. 1992.

22 Gwenno a Bet gyda'u mam, Maggie Jane, yn nhafarn y Meirion, Blaenau Ffestiniog ar ymddeoliad Maggie Jane ym Mehefin 1988.

23 Brian Williams, Rheolwr y Morgan Lloyd, yn dathlu ei ben-blwydd yn 50 ar Ddiwrnod V E 1995 tu allan i'r Morgan Lloyd.

24 John Williams, a fu'n rhedeg Canolfan Tan y Bont, Caernarfon. Mehefin 1996.

25 James Jones, Donna Wyn Jones a Catrin Williams yn y Bull, Deiniolen. Mawrth 1998.

26 Gêm o ddartiau rhwng Edwina Thomas a Rhian Williams yn y Bull, Deiniolen. 1998.

27 John Evans, y Newborough, Bontnewydd. Hydref 1994.

28 Dafydd Jones, y Bull, Deiniolen. Mawrth 1998.

29

29 Aneirin Jones, Gwesty Dolbadarn, Llanberis, Cadeirydd LVA Cymru. Mai 1998.

30 Dyma rai o WAGs Clwb Pêl-droed Porthmadog aeth i lawr i Abertawe i gefnogi'r tîm mewn gêm fawr yn erbyn Elyrch Abertawe yn Chwefror 1995.

Er fy mod i'n hogyn o gyffiniau Caernarfon dwi'n mentro dweud 'mod i'n fwy o gefnogwr Porthmadog. Yn y dyddiau pan oeddwn i'n dechrau tynnu lluniau pêl - droed roedd ffotograffydd arall yn tynnu lluniau ar yr Oval, felly i Port oeddwn i yn cael fy ngyrru.

Mi nes i dipyn o ffrindiau efo'r cefnogwyr, staff y clwb a'r chwaraewyr dros y blynyddoedd, ac roeddwn bob tro'n edrych ymlaen yn fawr at gael mynd yno, er gwaethaf canlyniad rhai gemau!

31 Roedd mwy nag un refferendwm pwysig yn 1997. Tra oedd pobol Cymru yn pleidlesio 'Ie' dros Gynulliad Cenedlaethol cafodd pobol Dwyfor a Meirionydd y faich ychwanegol o bleidlesio dros agor tafarndau ar y Sul.

Y bleidlais 'Ie' aeth hi, er gwaethaf ymgyrch brwdfrydig yn erbyn y mesur. Dyma'r lun o'r tafarnwr Robat Jones o'r Ship ym Mhorthmadog yn codi ei benelin i ddathlu'r canlyniad.

30

31

32 Peint i hogia Port cyn gêm fawr yn Abertawe. Chwefror 1995.

33 Hogia Caernarfon yn dathlu yn y Goron. Hydref 1993.

Y Bocs

Eleni mae S4C yn dathlu 30 mlynedd ers lansio'r sianel yn Nhachwedd 1982. Dwi'n cofio brysio adre o 'ngwaith er mwyn cael gweld *Superted* ar y noson gynta! Ail blentyndod 'ta be?

Ond wrth gwrs, daeth S4C â lot o ddaioni i ardal Caernarfon, gyda nifer o gwmnïau cynhyrchu newydd yn creu cyfleoedd mewn cyfnod pan oedd swyddi cynhyrchu yn prysur ddiflannu. Hefyd, hyfforddwyd nifer o bobol ifanc yr ardal yn amryw agweddau'r diwydiant teledu gan y cwmni Cyfle.

Cefais y fraint o fynd tu ôl i'r llenni yn stiwdios Barcud sawl tro i weld rhaglenni'n cael eu ffilmio, popeth o *Noson Lawen* i *Question Time*.

Yn anffodus mae'r rhan fwya' or cwmnïau cynhyrchu teledu wedi diflannu erbyn hyn, ac oes aur fer y diwydiant yn tynnu at ei therfyn. Mae Cyfle bellach wedi ail-leoli i Gaerdydd ac aeth y cwmni oedd yn rheoli stiwdios Barcud i'r wal yn 2010. Er hyn, dwi'n falch o weld y rhai sydd yn dal ar ôl yn llwyddo.

1 Gari Williams yn ffilmio yn stiwdio Barcud. Mawrth 1990

4

5

2 - 4 Dyma gyfres o luniau o griw *C'mon Midffîld* yn ffilmio pennod Nadolig 1992 yn Nghaernarfon. Ar y pryd roedd Midffîld-mênia ar ei anterth ac fe gasglodd torf anferth o ffans y sioe yn Stryd Llyn i weld Wali Tomos wedi'i wisgo fel Siôn Corn.

Roedd pobl yr adral wedi cymryd at y cymeriadau a'r actorion ac mae'r torfeydd yn y lluniau yma yn dyst i hyn.

5 Emyr Roberts, *Fi Ti Ti Fi*, Gorffennaf 1993.

6 Richard Wyn a Dylan Wyn Williams, myfyrwyr ar Gwrs Cyfle, Caernarfon. Mawrth 1988. Mae Rich erbyn hyn yn ddyn camera llwyddiannus yn ogystal â rhedeg Gwinllan Pant Du ym Mhen-y-groes.

7 Huw Jones wedi cael ei benodi yn Brif Weithredwr S4C. Tachwedd 1993.

8 Wynebau ifanc yn cael cyfle i fod yn rhan o un o gynyrchiadau Dyfan Roberts yn Neuadd Dwyfor, Pwllheli. Gorffennaf 1990.

9 - 11 Y gyfres boblogaidd *Pengelli* yn cael ei ffilmio mewn unedau yn Stad y Faenol. Haf 1994.

12 Yr enwog Chitty Chitty Bang Bang yn ymweld â gwesty'r Seiont Manor yn 1995

13 - 14 Ffilmio *Llygad am Lygad*. Medi 1992.

15 Mal Lloyd yn Llanberis. Awst 1996.

16 Llion WIlliams (George) yn Ysgol Maesincla. Mai 1993.

17 Sian Wheldon (Sandra) yn Hen Ysgol Penisa'r-waen. Ionawr 1990.

18

19

20

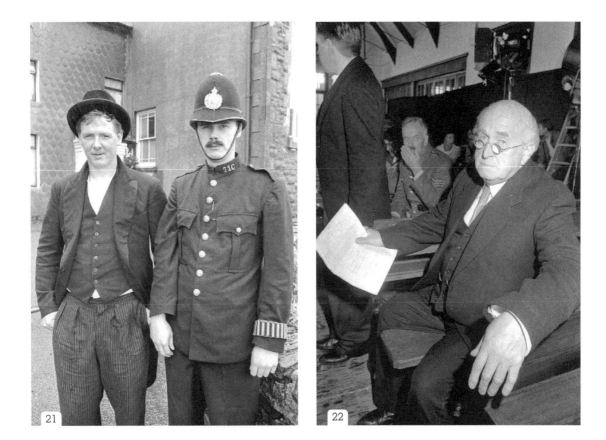

21

22

23

18 - 23 Hedd Wyn

Mi ges i fy ngalw draw i Benrhyndeudraeth yn 1992 i dynnu lluniau rhai o'r bobl leol oedd yn cymryd rhan yn y ffilm *Hedd Wyn* fel ecstras. Roedd eu gweld wedi eu trawsnewid yn bobl o gyfnod y Rhyfel Byd Cynta yn brofiad difyr iawn.

Cafodd y ffilm ei henwebu am Oscar yn y categori 'ffilm iaith dramor' yn 1993, ond yn anffodus colli wnaeth hi i ffilm o'r enw *Belle Epoque* (gewch chi ddiolch i mi y tro nesa cewch chi'r cwestiwn hwnnw mewn cwis tafarn!).

24 - 25 'Nôl yn 1985 roedd gan y ddeuawd poblogaidd Tony ac Aloma raglen gerddoriaeth a chomedi ar S4C. Dwi'n cofio'r cwmni cynhyrchu yn meddiannu maes Caernarfon er mwyn ffilmio golygfa am gadw'n heini.

Roedd rhai o 'leggy lovelies' dewra' Caernarfon allan yn eu shorts byr er gwaetha'r ffaith ei bod hi'n ddiwrnod oer iawn o wanwyn. Ac fel y gwelwch chi wnaeth y ffaith bod y gân a'r olygfa'n sôn am gadw'n heini ddim stopio Aloma rhag cael smôc fach slei!

26 Mici Plwm, y diddanwr amryddawn.

27 Dyma'r cyflwynydd teledu Rhodri Ogwen yn 1993, rai blynyddoedd cyn iddo ddod yn wyneb adnabyddus ledled Prydain fel cyflwynydd ar sianel Sky Sports. Yn ystod y cyfnod hwn roedd diwrnod Plant Mewn Angen yn un o ddiwrnodau prysura'r flwyddyn i mi. Ro'n i'n dechrau'r diwrnod drwy dynnu lluniau ymdrechion pobol i hel pres y peth cynta'n y bore, ac yn aml doeddwn i ddim yn gorffen tan wedi deg y nos. Bellach, dwi'n lwcus os y tynna' i hanner dwsin o luniau, gan nad oes cymaint yn mynd ymaen.

Byd y Ddrama

Byddaf bob amser yn edrych ymlaen at gael mynd i dynnu lluniau actorion wrth eu gwaith. Mae'n ddifyr i mi fel ffotograffydd weld y trawsnewidiad mewn actor neu actores wrth iddynt ymgolli mewn cymeriad. Yn aml iawn roedd 'na fwy o ddrama tu ôl i'r llenni nag ar y llwyfan! Rwyf wedi bod yn dyst i ambell 'ffit greadigol' yn fy nydd ond wna i ddim enwi neb yn fan hyn.

Ers colli Theatr Gwynedd dwi ddim yn cael y cyfle fel roeddwn i dynnu lluniau cynyrchiadau mawr. Rhaid i mi gyfaddef, mae 'na golled fawr ar ôl yr hen le.

1 'Wil Sam yn ei gynefin. Tachwedd 1995

2 Maureen Rhys a John Ogwen ger cofeb Dr Kate Roberts, Rhosgadfan. Ebrill 1985.

3 Gruffydd Parry, y dramodydd o Fotwnnog. Hydref 1985.

4 - 6 Mae gan Ysgol Botwnnog enw da am eu cynyrchiadau blynyddol. Sioe *Oliver* oedd hon, a'r safon yr un mor uchel ag arfer. Mawrth 1991.

7 Drama *Bownsars*, Theatr Gwynedd – Rhodri Evans, Iwan Roberts, Morgan Hopkins a Cadfan Roberts. Ebrill 1999.

8 .Sioe Ysgol Eifionydd, Porthmadog. 17 Gorffennaf 1991

9 Cwmni Drama Llwyndyrys yn perfformio yng Ngŵyl Fai Dyffryn Nantlle. 1995.

10 Dyma lun o frenhines Theatr Bara Caws, Linda Brown, a dynnwyd yn 1997. Y flwyddyn nesa bydd Linda'n dathlu 30 mlynedd gyda'r cwmni, sy'n dod â byd y theatr i gynulleidfaoedd na fyddaent fel arall efallai yn ystyried mynd i weld sioe mewn theatr draddodiadol. Dwi'n hoff iawn o'u sioeau clybiau, ac wedi chwerthin nes dwi'n sâl ambell dro. Mae'n dyst i boblogrwydd y sioeau fy mod, ar fwy nag un achlysur, wedi gorfod teithio mor bell a Harlech er mwyn cael tocyn.

11 *Sion Blewyn Coch*, Theatr Gwynedd – Gwenfair Vaughan Jones a Robin Eiddior. 1997

12 Cwmni Drama MAMs, Porthmadog. Mawrth 1995.

13 Dafydd Williams, Emyr Walter Owen a Bleddyn Williams, cwmni drama'r Gronyn Gwenith, Theatr Seilo. Mawrth 1997.

14 David Jones ac Olive Blackwood, cwmni drama'r Gronyn Gwenith, Theatr Seilo. Mawrth 1997.

15 Llŷr Gwyn Lewis, cwmni drama'r Gronyn Gwenith, Theatr Seilo. Mawrth 1997.

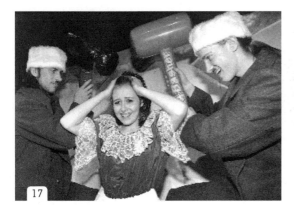

16 Drama *Dilys a'r Drych*, Coleg Menai. Rhagfyr 1995

17 *Dilys a'r Drych* – Nathan Cadmore,a Donna Hanks, Caernarfon a Kieren Attwood, Llanbedrog. Rhagfyr 1995.

18 *Dilys a'r Drych* – Mair Edwards, Tremadog; Llinos Elfyn, Chwilog a Craig Thomas, Dolgarrog. Rhagfyr 1995.

19 Dyma lun o Gwmni Theatr Gwynedd yn perfformio'r ddrama dadleuol *Excelsior* gan Saunders Lewis. Cafodd cynhyrchiad o'r ddrama yn 1980 ei ohirio oherwydd achos llys yn erbyn yr awdur am enllib, ond fe lwyddodd i gyraedd y llwyfan yn 1992 gyda Garmon Emyr, Wynfford Elis Owen a Myfanwy Talog ymhlith y cast.

20 Lindsay Evans, Myfanwy Talog a Wynfford Ellis Owen, *Excelsior*. Mawrth 1992.

21 George Owen, trefnydd drama'r Eisteddfod Genedlaethol. Mawrth 1997.

22 *Pawb a'i Fys*, Theatr Bara Caws – Bryn Fôn, Myrddin Jones, Sara Harris Davies, Sian Wheldon, Emyr Wyn a Mari Gwilym. 1982.

23 - 24 Dyfed Thomas yn un o sioeau Bara Caws. Rhagfyr 1997.

25 Bethan Mair Williams o Gaernarfon yn y ddrama *O'r Bala i'r Balaclafa* yn Theatr Seilo. 1994.

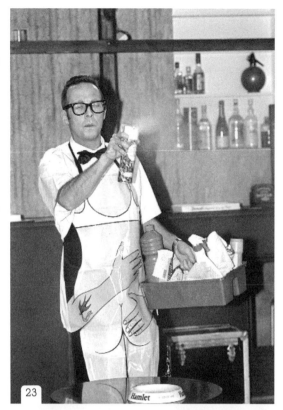

23

25

24

28

26 John Glyn tu allan i Theatr Gwynedd.
Rhagfyr 1989.

27 Cynhyrchiad Theatr Bara Caws, *Iechyd
Da*, yn 1985. Yn y cast mae Dewi Rhys,
Stewart Jones, Rhys Richards, Elliw Haf, Beryl
Williams a Judith Humphreys.

28 Drama *Pobol yr Haleliwia* yn Theatr Seilo,
Caernarfon. 1997.

29 Bethan Dwyfor yn y ffilm *Sgwâr y
Sgorpion* a ffilmiwyd yn Cofi Roc gan Gwmni
Eryri yn 1994.

29

Arwyr

Dros y blynyddoedd dwi wedi cyfarfod gymaint o bobol arbennig, ac oherwydd hynny, roedd hi'n anodd iawn dewis lluniau ar gyfer y bennod hon. Dwi'n ymddiheuro ymlaen llaw nad oedd lle i bawb!

Ar wahân i ambell i eithriad dwi wedi osgoi dewis enwogion. Mae gen i dipyn o enw am fod yn un sâl am adnabod y selebs bondigrybwyll 'ma wrth dynnu eu lluniau. Dwi'n cofio gofyn i Dduges Wessex yn Sioe Llanelwedd ryw dro pa un o'i chriw oedd yn aelod o'r teulu brenhinol. Dwi hefyd yn cofio sgwrsio am hydoedd mewn gwesty yn Nulyn gyda Gwyddel oedd yn mynnu ei fod o dras Cymreig. Ar ôl iddo fynd dywedodd fy ffrindiau wrtha i mai rhywun o'r enw The Edge o'r grŵp U2 oedd o. Do'n i ddim callach!

1 Gary Speed. Cafodd rhai o blant Ysgol Pendalar ymweld â chae ymarfer Everton yn 1996. Roedd un o'r plant, Neil Jones, wedi mopio hefo'r tîm ac roeddwn am drio cael ei lun o gyda chwaraewr o Gymru. Ar ôl tipyn o strach dyma ni'n cael gafael ar chwaraewr oedd newydd arwyddo gyda'r clwb — Gary Speed. Roedd Gary'n adnabyddus yn dilyn ei gyfnod gyda Leeds United ac ar ôl gadael Everton cafodd lwyddiant pellach gyda Newcastle, Bolton a Sheffield United cyn cael y fraint o'i benodi'n rheolwr ar dîm Cymru.

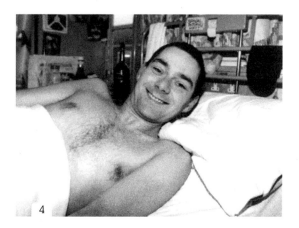

2 Dr Meira Pritchard, Pen-y-groes oedd fy noctor i pan oeddwn i'n hogyn bach. Fel plentyn roeddwn i'n diodde o'r Crwb ac ambell dro byddai'n rhaid i Mam a Dad alw am y doctor draw i'r tŷ er mwyn rhoi triniaeth i mi. Bob tro, roeddwn i'n gobeithio mai Dr Meiria fysa'n landio acw gan ei bod mor garedig — wastad yn cymryd diddordeb yn fy nheganau ac yn siarad yn glên efo fi. Dynes addfwyn a hoffus iawn, er ei bod hi yn fy ngorfodi i gymryd fisyg hyll!

3 Robert Haines, neu Bobby fel y mae o'n cael ei adnabod gan bobl Caernarfon; cyn-Faer y dre ac Eglwyswr mawr oedd yn cynnal ysgol Sul yn neuadd Feed My Lambs am flynyddoedd maith. Am flynyddoedd roedd Bobby Haines yn ffigwr cyfarwydd yn teithio o gwmpas y dre ar gefn ei feic, ei gap glas am ei ben. Erbyn hyn mae'r beic wedi mynd ond mae Bobby Haines yn dal o gwmpas Caernarfon, gŵr bonheddig sydd bob amser â gair clen a gwên ar ei wyneb.

4 Dileit Peter Read oedd chwareon eithafol, yn enwedig, hang-gleidio, ond un

prynhawn Sul ym mis Tachwedd 1995 cafodd ddamwain difrifol yn Rhydyclafdy. Wrth drio glanio dyma wynt anghyffredin o gryf yn achosi Peter i daro'r ddaear yn rhy galed. Ers hynny, mae'n gorfod defnyddio cadair olwyn.

Y tro cynta i mi ei gyfarfod oedd yn yr Ysbyty yn Gobowen tra oedd o'n derbyn triniaeth. Er ei fod o'n amlwg mewn cryn dipyn o boen roedd o'n gwenu ac yn llawn gobaith am ei ddyfodol.

Mae o bellach yn ffigwr adnabyddus ac yn gweithio'n galed dros ei gymuned fel Cynghorydd Sir dros Abererch. Dyn arbennig iawn, sy'n ysbrydoliaeth i mi ac i lawer un arall."

5 Yr Arglwydd Bill Morris o Undeb y T&G yn cyflwyno Medal yr Undeb i Alan Wyn Evans o Ddeiniolen am ei waith yn y diwydiant chwareli. 1997.

6 Eirug Wyn yn ennill y Fedal Ryddiaith am ei gyfrol *Blodyn Tatws*. Awst 1998.

7 Criw Bad Achub Cricieth. Chwefror 1997.

8a Kit Jones, Caeathro, un roddodd ei hamser i godi arian at ymchwil cancr, a sydd yn fawr ei pharch yn y gymuned. Medi 1997.

8b Dafydd Wigley a'r teulu'n pleidleisio yn Etholiad 1994. Dechreuodd Dafydd ei yrfa yn Llundain yn yr un cyfnod a finnau yn yr *Herald*.

9 Dafydd Iwan yn derbyn disg aur am werthiant un o'i recordiau. Mawrth 1996.

10

11

10 Plant lleol yn cael recordio efo Dylan o'r ddeuawd boblogaidd Dylan a Neil yn stiwdio Sain. Medi 1988.

11 Plant Ysgol Y Felinheli yn cael eu diddanu gan eu harwyr, Gwenno Hywyn a Rovi. Mai 1990.

12 Amser stori i blant Ysgol Y Felinheli gyda T. Llew Jones. Mawrth 1991.

13 Bob Anderson, arwr i bobol fusnes Caernarfon oherwydd ei flynyddoedd o waith caled fel cadeirydd Siambr Fasnach y dre. Roedd Bob a finna'n ffrindiau mawr a thrasedi oedd ei golli yn ddi-symwth ym Mehefin 2010.

14 Bu Tom Jones yn drefnydd rhanbarthol i'r Undeb y T&G yn Nogledd Cymru am flynyddoedd maith ond cafodd ei yrfa, ac i raddau ei fywyd, ei ddiffinio gan streic fawr Friction Dynamics, y streic hira' yn hanes Prydain. Arweinodd Tom yr hogiau i fuddugoliaeth ym mrwydr y gweithwyr yn erbyn perchennog y ffatri. Yn ystod y daith galed, chwerw–felys honno fe enillodd Tom barch rhyngwladol a lle arbennig yn nghalonnau pobol yr ardal hon. Fel llawer un mae gen i lu o straeon am Tom gan gynnwys ambell i noson fythgofiadwy yn nhafarn y Fidler's Elbow yn Brighton yn dadlau am wleidyddiaeth dros wisgi neu ddau (neu dri, neu chwech...). Ond roedd y frwydr yn erbyn salwch yn un frwydr yn ormod i Tom a bu farw eleni. Cymeriad unigryw gyda chalon lawn trugaredd. Ni welwn un arall tebyg i Tom.

12

13

14

15

17

16

15 'Boy Band' cynta Cymru! Triawd y Coleg oedd yn o hoff grwpiau canu Nhad ond er bod toman o'u recordiau acw roedd yn well gen i bethau mwy modern fel John ac Alun a Dafydd Iwan! Yn 1999 cefais y cyfle i dynnu llun yr hogiau tu allan i Bictwrs Bach y Borth ym Mhorthaethwy. A naddo, dwi byth wedi gwrando ar eu recordiau!

16 Gwyn Davies, Waunfawr, un o sefydlwyr yr Antur yn y pentref, gyda'i lyfr *Y Waun a'i Phobol*. Gorffennaf 1996.

18

19

17 Daeth Gordon Wilson i Gaernarfon er mwyn mynychu rali heddwch a drefnwyd gan y Parch. Harri Parri. Fe laddwydd merch Mr Wilson, Marie, pan ffrwydrodd un o fomiau'r IRA yn nghanol gwasanaeth coffa yn Enniskillen, gogledd Iwerddon ar Sul y Cofio 1987. Daeth Mr Wilson yn adnabyddus drwy ei ymgyrch heddwch — maddeuant oedd ei neges ac aeth ati i rannu ei athroniaeth gyda'r ddwy ochr yng Ngogledd Iwerddon yn y gobaith y bysa' ei brofiad erchyll yn gallu dod â'r ymladd i ben. Bu farw Mr Wilson o drawiad ar y galon yn 1995, ddeng mlynedd cyn i'r IRA roi'r gorau i ryfela'n swyddogol. Braint fawr oedd ei gyfarfod.

18 Mam yng Nghwm Pennant. Haf 1989.

19 Neville Southall ar ymweliad ag Ysgol Pendalar, Caernarfon. Mehefin 1997.

20 Y cawr o Fynydd y Garreg, Ray Gravell, yn 1997. Fel Ceidwad y Cledd yn yr Orsedd y dois i'w nabod – roedd yno gyda'r cledd pan gefais fy nerbyn i'r Orsedd yn y Faenol yn 2005.

21 Mark Aizelwood, pêl-droediwr a Dysgwr y Flwyddyn, yn Nant Gwrtheyrn. Medi 1996.

22

23

22 Arthur Rowlands, Caernarfon. Mai 1997.

23 Keith Williams, Cwm-y-glo, a derbyniodd y McDonalds Child of the Year Award gan y Prif Weinidog, John Major. 1997.

24 Idris Evans (Tarw Nefyn) yn edrych yn ôl ar ei yrfa bêl-droed. Awst 1992.

25 Richard Tudor o Bwllheli, cyn cychwyn ar ras hwylio rownd y byd. Rhagfyr 1992.

24

25

26 Plant Pwllheli yn llongyfarch eu harwr, Richard Tudor, a gyrhaeddodd Rio yn gyntaf yn ei gwch British Steel II. Yn ystod y ras rownd y byd, torrodd mast y cwch ond llwyddodd Richard, y Capten, i lywio'r criw i orffen y ras yn 1992.

27 Roedd y cerddor a'r cynhyrchydd Les Morisson yn ysbrydoliaeth i genedlaethau o gerddorion roc Cymru; grwpiau fel Maffia Mr Huws, y Super Furry Animals, Y Cyrff a Catatonia. Yn yr wyth degau sefydlodd stiwdio recordio lwyddiannus ym Methesda gyda Alan Edwards o Maffia Mr Huws ac yn fuan iawn daeth y stiwdio yn fecca i fandiau'r Sîn Roc Gymraeg. Yr un mor hapus yn perfformio ag y tu ôl i'r ddesg, aeth Les i deithio'r byd gyda'r Super Furry Animals. Daeth cannoedd o gerddorion Cymru at ei gilydd ym Methesda i ffarwelio â Les ar ôl ei farwolaeth yn dilyn salwch byr yn 2011.

28 Hywel Wyn Edwards, Trefnydd yr
Eisteddfod Genedlaethol ers 1992.
Mae'n uchel ei barch yn y brifwyl a thu
hwnt.

29 Mickey Thomas, pan oedd yn
chwarae pêl-droed i Borthmadog.

30 Twm John Roberts, Llanberis,
Llywydd Anrhydeddus Clwb Pêl-droed
Llanberis, gyda'i fedal am oes o
wasanaeth i bêl-droed. Mehefin 1994.

Gwlad Beirdd a Chantorion

Tydw i ddim yn fardd a dwi'n bendant ddim yn gallu canu! Ond wedi dweud hynny, trwy fy ngwaith dwi wedi cael y fraint o ddod ar draws talent anghredadwy mewn eisteddfodau ar hyd a lled Cymru. Fel y gwyddoch, mae'n rhaid i newyddiadurwyr aros yn ddiduedd – ond cofiwch mai ffotograffydd ydw i felly gallaf gyfaddef, heb damed o gywilydd, ei bod yn bleser mawr gweld bardd, awdur neu gantor o'm milltir sgwâr yn cipio prif wobrau'r Genedlaethol (a dwi hefyd yn siŵr o gael fy llun ar dudalen flaen *yr Herald*!).

1 Owain Siôn Williams, Llwyndyrys ar ôl ennill yr Unawd i Fechgyn yn Eisteddfod yr Urdd Taf Elai. 1991.

5

6

2 Paul Griffiths ar ôl ennill y Fedal Ddrama yn Eisteddfod yr Urdd, Islwyn. Mai 1997.

3 Dyma lun o Rhys Meirion, y tenor adnabyddus o Dremadog, yn taro bloedd yn Eisteddfod y Bala, 1997. Ar ôl ei llwyddiant ysgubol yn y Genedlaethol trodd ei gefn ar ei yrfa fel prifathro er mwyn astudio canu opera yng ngholeg y Guildhall, Llundain.Doedd dim edrych yn ôl, ac erbyn hyn mae Rhys yn un o gantorion enwocaf Prydain.

4 Glyn Borth-y-gest a John Eifion yn Eisteddfod Abergele. 1995.

5 Yr Archdderwydd Dafydd Rowlands yn Eisteddfod y Bala. 1997.

6 Dylan Eurig o Fangor yn Eisteddfod Genedlaethol Aberystwyth. 1992.

7 Elwyn Edwards, y Bala yn cael ei gadeirio yn Eisteddfod Casnewydd. 1988.

8 Karen Owen, Pen-y-groes yn cael ei chadeirio yn Eisteddfod Ffermwyr Ifanc Cymru. Tachwedd 1993.

9 Dwi ddim yn amau, ar y pryd, y bysa Rhys Iorwerth wedi gallu eistedd yn y gadair yma! Erbyn hyn mae o wedi tyfu i fod yn un o gewri llenyddol Cymru. Hon oedd y gadair gyntaf iddo ennill yn Ebrill 1995 tra'n ddisgybl yn Ysgol Syr Hugh Owen. Cafodd un dipyn mwy yn Eisteddfod Genedlaethol Wrecsam a'r Fro yn 2011.

10 Anwen Hughes, Carmel, enillydd Cadair Eisteddfod y Cilgwyn. Chwefror 1998.

11 Iwan Llwyd, Bangor, enillydd y Goron yn Eisteddfod Cwm Rhymni. 1990.

12 Robin Llywelyn, Llanfrothen, enillydd y Fedal Ryddiaith yn Eisteddfod Glyn Nedd, gyda'i gyfrol *O'r Harbwr Gwag i'r Cefnfor Gwyn*. 1994.

13 Seindorf arian Trefor. 1996.

14 Band Deiniolen yn Eisteddfod Aberystwyth. 1992.

15

16

15 Seindorf arian yr Oakley yn yr
Eisteddfod Genedlaethol ar faes y Sioe,
Llanelwedd. 1993.

16 Criw Band Bach Deiniolen. Chwefror
1988.

17 Ysgol Glanaethwy yn Eisteddfod y
Bala. 1997.

17

18 Hwyl yng Nglynllifon gyda
Lleuco Bach, masgot Eisteddfod
yr Urdd 1990. Tynnwyd y llun ym
Mehefin 1989.

19 Côr Alawon Menai dan
arweiniad Annette Bryn Parri.
Medi 1993..

20 Côr Dyffryn Peris yng Ngwesty
Dolbadarn, Llanberis. Hydref
1991.

21 Côr Eifionydd yn Eisteddfod Genedlaethol Aberystwyth. 1992.

22 Lleisiau Mignedd, ar ôl eu buddugoliaeth yng Ngŵyl Ban Geltaidd 1996.

23 Côr Meibion Caernarfon ar y Maes. Awst 1988

24 Côr Merched Llanberis. Ebrill 1989.

25 Deuawd Ysgol Glan y Môr, Gwenda Pritchard ac Einir Griffiths yng Ngŵyl Cerdd Dant Cymru. Hydref 1988.

26 Dawnswyr Caernarfon yng Ngŵyl Cerdd Dant 1988.

27 Hogia'r Wyddfa'n dathlu'r Nadolig. Rhagfyr 1998.

26

27

30

28 Yr Anrhefn yn chwarae ym mhabell y Cremlin, Eisteddfod Genedlaethol Llanrwst. Awst 1989.

29 Bryn Fôn yn Eisteddfod Llanrwst. Awst 1989.

30 Mared Evans, Adran Chwilog, enillydd yr Unawd Cerdd Dant 8-10 oed a thlws Coffa'r Parch. W O Thomas yn Eisteddfod yr Urdd Meirionnydd. 1994.

31 Twm Morris a Gorwel Owen ar wal yr Anglesey, Caernarfon. Haf 1988.

32 Katie Wyn, Llandwrog a enillodd ar ganu'r emyn mewn sawl Eisteddfod. Bala, Awst 1997,

32

31

33 Sion Trystan (Porc Peis Bach) yn wên o glust i glust ar ôl ennill Tlws Neli Williams yn Eisteddfod yr Urdd, Meirionnydd. Mai 1994.

34 Sian, Einir a Hafwen. Triawd Pant yr Hwch yn Eisteddfod Meirionnydd. 1994, gyda chwpan Goffa'r Parch. Robert Owen.

35

35 Lleisiau Llifon yn y Bala gydag (erbyn hyn) y Prifardd Geraint Lloyd Owen. 1997.

36 Annette Bryn Parri a'i phlant yn Hydref 1989.

36

Hel eu boliau

Dwi'n hoff iawn o fwyd – a dweud y gwir, dwi'n
gwrthod bwyta unrhywbeth arall! Wrth fy
ngwaith byddaf yn aml yn cael cyfle i ymweld
â gwyliau bwyd, bwytai a chaffis, a gallaf
gadarnhau bod yr amrywiaeth eang o
gynnyrch blasus sydd ar gael yn yr ardal hon
heb ei ail.

Er i mi golli owns neu ddwy dros y flwyddyn
ddiwethaf rhaid i mi gyfaddef na alla' i fyth
droi fy nhrwyn ar blatiad swmpus o ginio dydd
Sul!

Yn y bennod yma, cewch flas ar ginio ysgol,
tai bwyta, siopau chips a chigyddion y fro – yn
ogystal â sbec i mewn i ambell gegin brysur!

1 John Allport o flaen ei siop sglodion enwog ym Mhorthmadog. 1996.

2 Mark Morgan, y Black Boy. Ebrill 1997.

3 Cogydd prysur Plas Menai. Ionawr 1998.

4 Sgram ar blât i Bryn Williams yn y Twthill, Caernarfon. Tachwedd 1995.

5 Dyma Beryl Owen o Ben-y-groes – Usain Bolt byd y Mins Pei! Fe lwyddodd hi i bobi 3,000 o'r pasteiod bach blasus mewn un diwrnod er mwyn codi arian at ymchwil cancr yn Rhagfyr 1992.

6 Nerys Roberts, Bistro Llanberis. Rhagfyr 1990.

7 Liz Jones a fu'n rhedeg Caffi'r Maes, Caernarfon. Hydref 1992.

8 Richard Pugh, Rheolwr bwyty'r Prince of Wales, Caernarfon, yn datgelu gweddnewidiad y gwesty. Mehefin 1995.

9 J. R. Owen, cigydd Cricieth. Ebrill 1995.

10 Wavell Roberts, Llanrug gyda'i selsig a'i beis byd enwog. Mawrth 1995.

11 Michael Thomas, Dafydd Wyn Jones a thad Michael, John, yn eu siop yng Nghaernarfon yn 1987.

13

12

12 Am wledd gan Linda yn y Black Boy. Tachwedd 1993.

13 Wil Owen, bwtsiar ifanc yn Stryd y Plas, Caernarfon. Hydref 1985.

14 Paul Williams a Dafydd Wyn Jones, Cigyddion Stryd Llyn, Caernarfon. Hydref 1995.

14

15 Cinio i blant ysgol Syr Hugh Owen. Mehefin 1985.

16 Hogia Glan y Môr, Pwllheli yn ciwio am eu cinio. Mawrth 1998.

17 Cinio Dolig Ysgol y Gelli. Rhagfyr 1990.

18

18 Diwrnod Dolig yng nghegin Ysbyty Eryri, Caernarfon. 1992.

19 Gwyneth Owen o Borthmadog yn paratoi bocsus da-da! Ionawr 1993.

20 Rhian Cadwaladr o Rosgadfan wedi iddi ennill cystadleuaeth goginio drwy Wynedd. Mawrth 1990.

20

19

21 Craig Ainsworth, Caernarfon. 1998.

22 Staff Siop Chips Stryd Penlan, Pwllheli. 1995.

23 Nerys Roberts o Frynsiencyn, ond yn wreiddiol o Ddinas Dinlle, oedd yn yr ysgol uwchradd efo fi, ond sydd bellach yn rhedeg Popty'r Bryn. 1997.

24 Y ffotograffydd, Richard Birch o'r Groeslon yn ei ddyddiau'n rhedeg Bechdan Bach ar faes, Caernarfon. Ebrill 1993.

25 Y bachgen ifanc, Endaf Cook, yn ei siop chips yng Nghaernarfon. 1997.

26 Plant y Gelli yn coginio ym Mwyty Stones, Caernarfon. 1994.

27

27 Merched cegin yr Oval, Caernarfon ar Noson Tân Gwyllt. Tachwedd 1985.

28 - 29 Dudley yn paratoi glwedd i Alun Williams a'r criw yn ATS Caernarfon nôl yn Gorffennaf 1997.

29

28

30 Meirion Evans a Robyn Griffiths, cefnogwyr Clwb Pêl-droed Porthmadog yn hel eu boliau cyn gêm fawr Abertawe v Porthmadog. 1985.

31 Y Pysgotwr Meirion MacIntyre Huws wedi dal ei swper. Tachwedd 1995.

Dros Gymru 'Ngwlad

Dwi'n fy ystyried fy hun yn Gymro balch. Fe ddechreuais fy ngyrfa yng nghyfnod y refferendwm cyntaf i gael cynulliad i Gymru. I mi, roedd methiant yr ymgyrch honno'n dorcalonnus.

Ers hynny, diolch i'r drefn, mae pethau wedi newid; ond hoffwn weld Cymru yn ennill annibyniaeth llwyr yn y pen draw. Efallai na welwn hynny yn fy oes i – ond dyna ddywedwyd am y Cynulliad 'nôl yn nyddiau du 1979, felly pwy a ŵyr? Gan fod Cymru yn wlad mor fechan mae'n hanfodol bwysig, yn fy marn i, ein bod ni'r Cymry'n uchel ein cloch amdani ble bynnag yr awn. Wedi'r cwbl, mae 'na gymaint o bethau am Gymru i ymfalchïo ynddynt.

Gallwn fel cenedl fod yn falch iawn o gymeriadau'r bennod hon – maent oll wedi gwneud cyfraniad pwysig, yn fach neu'n fawr, i'w gwlad.

1 Gwenllian Akers, Ysgol y Gelli, Caernarfon ar Ddydd Gŵyl Dewi. 1993

2 I. B. Griffith a Prys Edwards yn agor Canolfan Groeso newydd yng Nghaernarfon. Hydref 1988.

3 Eleri Carrog, a fu'n brwydro am gyfiawnder i'r iaith Gymraeg. Chwefror 1994.

4 Bryn Terfel a Lesley yn lansio teithiau o Faes Awyr Caernarfon i Gaerdydd. Gorffennaf 1996. Wnaeth y teithiau ddim llwyddo, ac o'r Fali mae'r awyren yn mynd erbyn hyn.

5 Merched y ddawns flodau yn Eisteddfod Genedlaethol Cymru. Bala 1997.

6 Merched dawns flodau Eisteddfod yr Urdd 1998 – Lois Harris o Nefyn, Kate Dowling o Lanbedrog a Karyl Bure o Borthmadog.

7 Dafydd Elis-Thomas ym mhabell Bwrdd yr Iaith ac yn cefnogi Cymdeithas yr Iaith. Awst 1993.

8 Plant Ysgol y Gelli yn dathlu Gŵyl Dewi. 1997.

9 Disgyblion Ysgol Eifion Wyn yn dathlu Dydd Gŵyl Dewi ar strydoedd y dref yn 1985.

10 Gwynfor Evans yn agor Swyddfa Plaid Cymru yng Nghaernarfon. Hydref 1993.

11 Gwennan Gibbard o Bwllheli a gyfansoddodd y ffanffer ar gyfer Eisteddfod yr Urdd, Llŷn ac Eifionydd. 1998.

12 Gwynfor Evans yn cael ei anrhydeddu yn Eisteddfod y Bala. Awst 1997.

13 John Hartson yn cefnogi 'Ie dros Gymru' gydag Iwan Jones a Dafydd WIgley.Mehefin 1997.

14 Y garddwr, Medwyn Williams, yn cael ei dderbyn i'r Orsedd. 1996.

15 W. R. P. George, Archdderwydd Cymru. Awst 1990.

16 Criw Canolfan Hamdden Arfon yn dathlu canlyniad etholiad 1987.

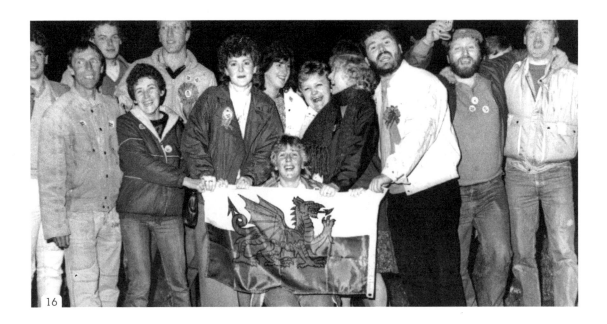

17 Criw swyddfa Eisteddfod
Genedlaethol Cymru yn y Bala.
1997.

18 Y brodyr Eifion a Gareth
Hughes, ffanfferwyr yr Eisteddfod
Genedlaethol. Awst 1995.

19 Eleri Carrog yn cyfarfod ag
aelodau seneddol yn Llundain i
gyflwyno deiseb yn mynnu
hawliau teg i'r iaith Gymraeg.
Mehefin 1993.

Byd y Bêl

Mae'n flynyddoedd maith ers i mi rhoi pâr o
shorts amdanaf a chwysu ar faes y gad, ond ar
brynhawn Sadwrn mi fyddaf fel arfer yn sefyll
ar ochor cae rhywle yn ngogledd Cymru gyda
'nghamera yn fy llaw yn gwylio dau ddeg dau
o ddynion yn rhedeg ar ôl pêl.

Mae adroddiadau ar gemau pêl-droed, neu
ar unrhyw fath o chwareon, yn rhan hanfodol o
unrhyw bapur newydd, yn enwedig papur
lleol. Er hyn, rydw i wedi osgoi tynnu lluniau
dramatig o chwaraewyr yn sgorio gôl neu gais
munud ola' i gipio'r gem.

Mae'n well gen i ganolbwyntio ar yr hwyl a'r
cyd-dynnu ymysg y rhai sy'n cymryd rhan a'r
fyddloniaid sydd yn eu cefnogi.

1 Ian Studt a Gary Williams o Glwb Rygbi Pwllheli. Tachwedd 1988

2 Tynnwyd y llun yma yn ystod cyfnod Brian Flynn wrth lyw tîm Wrecsam. Ar y pryd roedd dau o hogiau ardal Caernarfon gyda'r tîm sef Wayne Phillips, a oedd yn wyneb cyfarwydd iawn a ffyddloniad y Cae Ras pan dynnwyd y llun yma yn Chwefror 1998, a Paul Roberts a oedd newydd arwyddo gyda'r clwb. Bellach mae doniau unigryw Wayne Phillips yn gyfarwydd i lawer drwy gyfrwng eu yrfa fel sylwebydd pêl-droed ar y radio a'r teledu.

3 Dr Emrys Price Jones, Cadeirydd Clwb Caernarfon. Mehefin 1994.

4 Meilir Owen a Colin Saynor. Hogia Clwb Pêl-droed Porthmadog. Ionawr 1996.

5 Tîm pêl-droed Ysgol Glan y Môr, Pwllheli. Ebrill 1994.

6 Dylan Halliday, pêl-droediwr talentog o'r Groeslon.. Rhagfyr 1988.

7 Gwilym Williams, Cwm-y-glo. 'Gwil Gôli' i lawer – gŵr a oedd wastad â gwên sr ei wyneb. Trist oedd clywed am ei farwolaeth yn ddiweddar. Tynnwyd y llun yn 1994.

8 Alan Stevenson, saith oed o Bwllheli yn paratoi i fynd ar gwrs pêl-droed i Glasgow. Hydref 1995.

9 Tîm pêl-droed Ysgol Brynrefail. Mawrth 1997.

10

11

12

10 Tîm 5-bob-ochr Ysgol y Moelwyn, Blaenau Ffestiniog. Gorffennaf 1990.

11 Edward Griffiths, Mark Griffiths a Michael Adams, Ysgol Glan y Môr, Pwllheli. Cawsant eu dewis i dîm rygbi Gwynedd dan 16 oed. Medi 1995.

12 Mathew Wall a Brian Williams o Ysgol Glan y Môr, Pwllheli. Cawsant eu dewis i chwarae i dîm rygbi Gogledd Cymru dan 15 oed. Medi 1995.

13 Tîm pêl-droed Ysgol Syr Hugh Owen. Mawrth 1995.

14 Tîm Llanystumdwy: pencampwyr Cwpan Moorings Mehefin 1995.

15 Mae tim Dyffryn Nanlle yn agos iawn at fy nghalon gan fy mod wedi bod yn ysgrifennydd ar y clwb am

13

gyfnod o chwe
mlynedd yn ystod y
naw degau —
cyfnod dwi'n edrych
yn ôl arno fo fel un
hapus
iawn.Tynnwyd y llun
yma o'r tîm ym Mis
Hydref 1988. Efallai
bydd y rhai
ohonoch sydd â
llygaid craff yn
meddwl bod Nantlle
Vale ar flaen y gad
yn hybu hawliau
merched o fewn y
gêm; ond dim ond
noddwr y tim, Enid
Jones (a oedd yn
cadw tafarn y Goat
ym Mhen-y-groes)
oedd wedi mynnu
cael ei phig i mewn
i'r llun!

14

15

16 Llun o dîm pêl-droed Porthmadog yn dilyn gêm fawr yn erbyn Abertawe ar gae'r Vetch yn Chwefror 1995. Yn eu plith mae eu rheolwr ar y pryd, Mickey Thomas, gynt o Manchester United, Leeds, West Brom a Chymru: cymeriad lliwgar dros ben o fewn y gem a thu hwnt.

17 Pencampwyr Llŷn 5-bob-ochr – Ysgol Pont y Gof, Botwnnog. Gorfennaf 1995.

18 Tîm Ieuenctid Llanberis. Ebrill 1985.

19 Tîm Cae Glyn, Caernarfon. Awst 1995.

20 Tîm iau Cae Glyn, Caernarfon. Awst 1995.

21 Tîm pêl-droed Ysgol Eifion Wyn. 1992.

22 Tîm Ieuenctid Llanberis. Chwefror 1995.

23 Tîm Segontium Rovers, Caernarfon. Medi 1995.

24

24 Pencampwyr 5-bob-ochr yr Urdd, Ysgol Bontnewydd – Tim Anderson, Cai Griffiths, Neil Aindaw, Christopher Gerlic, Tomos Evison. Ionawr 1995.

25 Plant Cae Glyn B, Caernarfon yn cychwyn ar daith feics i godi arian i brynu cit newydd.

25

26

27

28

26 Criw pêl-fasged Pwllheli. Ionawr 1997.

27 Hogia ifanc tîm pêl-fasged Pwllheli. Chwefror 1988.

28 Criw bowlio dan do Waunfawr. Hydref 1993.

29 Y pedwerydd o Chwefror, 1994, a channoedd o gefnogwyr rygbi Cymru yn casglu ym Mhorthladd Caergybi er mwyn dal y cwch draw i Ddulyn i weld Cymru ac Iwerddon yn brwydro ym Mhencanpwriaeth y Pum Gwlad, fel roedd hi ar y pryd. Ond fe roddodd storm fawr ar Fôr Iwerddon stop ar daith y fyddin goch a gwyn — a chafodd pob cwch o Gaergybi ei ganslo. Methodd y gwynt a'r glaw â thaflu dŵr oer ar y canu a'r mwynhau, serch hynny, ac fel dwi'n ei chofio hi roedd pob tafarn yn Nghaergybi dan ei sang y noson honno. Roedd y criw yma o Gaernarfon yn barod i droi eu cefnau ar noson ar y cwrw er mwyn sicirhau eu bod ar flaen y ciw ar gyfer y cwch cyntaf i hwylio allan o'r porthladd! Ac roedd yn werth yr holl aros oherwydd enillodd Cymru'r gêm honno'n erbyn Iwerddon a mynd ymlaen wedyn i gipio'r Bencampwriaeth.

30 Richard Hughes yn ei dre enedigol, Caernarfon yn 1990. Bellach mae byd y bêl wedi ei dynnu i'r America.

31 Ail dîm rygbi Caernarfon. Tachwedd 1985.

32 Clwb Rygbi Caernarfon. Tachwedd 1985.

33

33 Tîm rygbi Ysgol Syr Hugh Owen, Caernarfon. Mawrth 1993.

34 Neville Southall yn cyflwyno Cwpan Gogledd Cymru i Geraint Jones, capten tîm Porthmadog ar ôl iddynt guro Caernarfon 2:1 yn Llandudno. Mai 1997.

35 Tîm rygbi Ysgol Botwnnog. Hydref 1991.

34

35

36 Aled Griffiths, Tremadog. Mehefin 1993.

37 Elfed Evans, Pwllheli. Hydref 1994.

38 Tîm pêl-droed Ieuenctid Caernarfon. 1990

39 Tîm Segontium Rovers dan 16 oed. Mehefin 1991.

40

41

40 Tîm pêl-droed Porthmadog. Mai 1990.

41 Y Felinheli yn ennill Cwpan Wil Evans yn yr Oval, Caernarfon. Mai 1991.

42 Y bachgen ysgol, Michael Foster yn arwyddo i Borthmadog, gydag Iwan Jones, Cadeirydd. 1990.

43 Kevin Jones o dîm Llanberis yn derbyn Cwpan Ieuenctid Gogledd Cymru gan Mr J. O. Hughes, Dirprwy Lywydd y Gynghrair ym Mai 1982.

42

43

44 Hogia Bontnewydd. Mai 1989.

45 Tîm pêl-droed Bangor yn ennill Cynghrair Cymru yn erbyn Porthmadog yn 1994. Gwelwyd y dorf fwyaf erioed ar Y Traeth ar gyfer y gêm. Yn y llun mae Nigel Atkins, rheolwr Southampton erbyn hyn.

44

45

Un ac oll

Pan oeddwn i'n paratoi deunydd ar gyfer y llyfr yma sylwais fod nifer o'r cymeriadau difyr rydw i wedi tynnu eu lluniau ar hyd y blynyddoedd yn disgyn drwy'r craciau, fel petai.

Mae'r unigolion sydd yn y bennod yma wedi cyfrannu'n hael i'w cymunedau dros y blynyddoedd, ac felly'n llawn haeddu eu lle yn y gyfrol hon.

Meddyliwch am y casgliad hwn nid fel swyddfa eiddo coll, ond fel cist yn llawn o drysorau gwerthfawr.

1 Dyma lun o Osian Jones gyda ffrwyth llafur Arian Byw: yr ymgyrch i godi pres i roi cymorth i bobol oedd yn marw o newyn yn Ethiopia. Roedd pobol Cymru wedi codi miloedd at yr achos, ac fe benderfynwyd teithio ar draws gwlad draw i Affrica er mwyn i bawb gael gweld lle oedd yr arian yn mynd.

Yn ystod y cyfnod yma roedd yr elusen Live Aid ar ei anterth. Dwi'n cofio cael galwad i fynd draw i stiwdio Sain yn Llandwrog i dynnu lluniau amrywiaeth o sêr y byd pop Cymraeg yn recordio'r gân 'Dwylo Dros y Môr'.

2 Alice Williams, Caernarfon, un a fu'n weithgar ym myd y ddawns werin. Medi 1994.

3 Dafydd Williams, Y Groeslon, cigydd wrth ei waith ond dartiwr o fri. Chwefror 1998.

4 Roedd Amanda Morris o Bwllheli yn dioddef o diwmor oedd yn effeithio ar ei

gallu i gadw'i balans. Er mwyn cael y driniaeth briodol bu'n rhaid iddi fynd draw i Efrog Newydd felly dechreuwyd ymgyrch yn lleol i godi arian iddi.

Er mwyn helpu fe aeth criw o'r *Herald* ar ras i ymweld â phob opera sebon ym Mhrydain mewn diwrnod. Cafodd y criw, finnau yn eu plith, groeso mawr gan sêr Coronation Street, Brookside, East Enders ac wrth gwrs Pobol y Cwm.

5 Dyddiau hapus i Sian Wilkinson o Gaernarfon a'r tripledi Malan, Medi a Manon a anwyd ym Medi 1985. Tynnwyd y llun yma yn Rhagfyr 1985.

6 Hywel Hughes, Biwmares, ffotograffydd, ffrind a chydweithiwr yn yr *Herald*. Mawrth 1988.

7 Ifan Hughes, Llanaelhaearn ar ei feic. Medi 1997.

5

6

7

8 Alma Davies, Llanllyfni a'i gwaith llaw gwych yn sioe'r pentref. Medi 1994.

9 Glenys Roberts yn ymddeol o Caffi Gronant, Caernarfon, Hydref 1998, yn cael ei chyflwyno â blodau gan Richard Parry, un o gymeriadau tre'r Cofi.

10 Criw'r Station Inn, Porthmadog yn codi arian iymchwil cancr. Mehefin 1995.

11 Alun Harrison ar draeth Aberdaron, 1993. 'Di David Hasslehoff ddim ynddi...

12 Criw'r Ocean Youth Club ym Mhwllheli yn 1990. Aelodau o glybiau ieuenctid Llŷn ac Eifionydd oedd yn cael y profiad o hwylio ar hen long am wythnos. Hefo nhw mae'r trefnwyr lleol, Gwynfor Jones o Abersoch a Gerallt Hughes o Aberdaron.

13 Aye – aye Capten! Dyma fy ffrind a 'nghyn gydweithwraig Anna Marie Robinson. Un ddewr iawn ydi Anna – tydi ei 'choesau môr' ddim yn rhy sbesial, a munudau ar ôl gwenu'n ddel ar gyfer y camera roedd hi'n taflu fyny! mewn sosban!

14 Merched Salem, Caernarfon. Nadolig 1995.

15 Eirian Dulyn, Talysarn yn ystyried cynllun maes Steddfod yr Urdd Dyffryn Nantlle. 1990.

16 Huw a Doris Williams, Llanberis; Huw Bara i bawb yn Llanberis – cymeriad a hanner. Ionawr 1996.

17 John Williams, Talysarn – un o gymeriadau'r ardal. Medi 1995.

18 Margaret Jones, Chwilog – arolygwr llwyfan yr Eisteddfod, ac Esyllt Lloyd Davies, Llanllyfni – 'Anti Ses' i bawb yn y Steddfod.

19 Y llun yma yw un o fy ffefrynnau yn y llyfr yma. Tynnwyd y llun o John Hughes, un o staff y siop, tu allan i siop gemwaith Roberts & Owen yn Stryd Llyn, Caernarfon yn 1985. I mi, mae 'na rywbeth ofnadwy o hen-ffasiwn amdano. Mae'n adlewyrchu rhywbeth o'r hen dre ac oes sydd bellach wedi mynd am byth.

20 Wil Jones, athro arlunio Ysgol Dyffryn Nantlle yn creu llun o Bryn Terfel. Ionawr 1997.

21 Bryn Terfel hefo'r llun gorffenedig yn haf 1997.

22 Idwal Edwards, Bontnewydd, cyn-Ysgrifennydd y T&G yn ymweld â Chwarel Vivian, Llanberis. Chwefror 1998.

23 Gwyn Erfyl. Awst 1996.

24 Alwen Jones, Llanllyfni, un a fu'n brwydro'n gyson am neuadd newydd i'r pentref. Tynnwyd y llun hwn ar 5 Hydref, 1995 ar y diwrnod y caewyd yr hen neuadd.

25 John Evans a Dafydd Rowlands, aelodau o'r Bwrdd Crwn gyda Fflôt Siôn Corn ar ôl iddi gael ei fandaleiddio. Rhagfyr 1993.

26 Y Colofnydd Dilys Baylis, Llanberis. Trist oedd clywed am ei marwolaeth yn 99 mlwydd oed tra'n paratoi'r llyfr hwn. Tynnwyd y llun yn Nhachwedd 1992.

27 Mair Roberts, wyneb cyfarwydd yn y Post Bach, Caernarfon. Chwefror 1993.

28

29

30

28 Staff Coleg Meirion Dwyfor mewn gwisg ffansi ar ddiwrnod Plant Mewn Angen. Tachwedd 1993.

29 Siôn Wyn Hughes, Ysgol Brynrefail ac aelod o Fand Deiniolen. Hydref 1990.

30 Iwan Evans, Siop Iwan, Caernarfon – yn darllen y Guardian heddiw, bois! Haf 1997.

31 Y Canon Alun Jones. Llanberis ychydig fisoedd cyn iddo gael ei lofruddio yn 1982.

32 Iola Gregory a'i merched yn paratoi at y Dolig.

31

32

33 Meirion Parry, Prifathro Ysgol Eifion Wyn, Porthmadog ar y pryd. Mawrth 1990.

34 Pwyllgor Canolfan Noddfa, Caernarfon yn dathlu ugain mlynedd. Hydref 1995.

35 Menai Williams, Bethesda, cyn-athrawes gerdd Ysgol Syr Hugh Owen a chyn-arweinydd Côr Caernarfon. Ionawr 1989.

36 Yn y naw degau cafodd Michael Williams damed bach o lwc pan enillodd jacpot y Loteri Genedlaethol. Ond nid Ferraris, Champagne a swpyrmodels oedd dileit y ffarmwr o Bencaenewydd — fe aeth ati i brynu cerbyd er mwyn hebrwng henoed yr ardal draw i gae lle roedd o wedi codi pabell fawr. Yno cafodd pawb baned a sgwrs tra oedd Michael yn difyrru'r dorf gyda tiwn bach ar yr organ.

37 Dennis Williams, postmon a Chynghorydd tref. Hydref 1997.

38 Dafydd Parry, fu'n gweithio ym Maes Parcio'r Harbwr, Caernarfon. Medi 1996.

39 Stewart Wiskin, Caernarfon a fu'n guradur Amgueddfa'r Môr, Doc Fictoria, Caernarfon. Medi 1997.

Ifanc a dawnus

Heb air o gelwydd, mae 'na rywun yn gofyn i mi o leia' unwaith y diwrnod: 'Wyt ti'n cofio tynnu fy llun i yn yr ysgol gynradd?' Mae gen i ofn mai siom maen nhw'n ei gael bron pob tro, oherwydd fel arfer mae'r person sy'n gofyn fel arfer yn ei ugeinau neu'n hŷn!

Mae hyn yn galonogol iawn i mi gan nad ydw i, yn amlwg, wedi heneiddio dim dros y deng mlynedd ar hugain ddiwetha!

Gobeithio felly y bydd y bennod yma'n adlewyrchiad o'r wledd ddiddiwedd o dalent sydd gan bobol ifanc fy milltir sgwâr – a chysuro'r rhai anffodus dwi wedi eu hanghofio!

1 Elin Thomas a Seimon Menai ar lwyfan Steddfod yr Urdd ddiwedd y ganrif ddiwethaf.

2 David Glyn Roberts, adra wedi ei ddamwain. Caernarfon Gorffennaf 1993.

3 Na, wnaeth o ddim dilyn gyrfa gerddorol – mae Chris Pritchard o Llanrug yn awr yn hyfforddwr crefftau ymladd dwyreiniol yng Nghaernarfon. Mawrth 1985.

4 Aeron Pritchard, Rhosgadfan yn ymweld ag Amgueddfa Llanberis. Chwefror 1995.

5 Babanod Ysgol Maesincla. Nadolig 1993.

6 Cast sioe Nadolig Ysgol Cwm y Glo. 1992.

7 Plant adran babanod Ysgol Maesincla. Nadolig 1990.

8 Adran Iau Ysgol Maesincla, Nadolig. 1990.

9 Alan Jones o Danygrisiau, Cerddor Ifanc y Flwyddyn Sir Feirionnydd. Hydref 1995.

10 Carwyn John, Owain Arfon a Rhodri Roberts o Ysgol Bethel yn astudio llythyr gan y Frenhines. Roedd Carwyn wedi 'sgwennu ati yn holi am ei cheffylau – a dyma'r ateb gafodd o ganddi! Ionawr 1990.

11 Elen Gwynne, Ysgol Eifionydd, Porthmadog,ac o Gricieth, yn cyrraedd rownd derfynol rhaglen *Tip Top* ar S4C. Chwefror 1995.

12 Côr Ysgol Brynrefail, Llanrug. Mawrth 1995.

13 Criw Ysgol Syr Hugh Owen yn cefnogi Diwrnod Aids. 1995.

14 Disgyblion Ysgol yr Hendre. Mehefin 1985.

15 Y Tad MacNamara gyda phlant Ysgol Santes Helen. Hydref 1989.

16 Plant Babanod Ysgol Felinwnda yn dathlu'r Nadolig. 1997.

17 Plant Iau Ysgol Felinwnda. Nadolig 1997.

18 Dyma griw hapus! Aelodau Clwb Ieuenctid Pwllheli yn dod at ei gilydd yn 1985, ac yn eu canol, yn pôsio yn ei anorac orau, mae wyneb cyfarwydd iawn i staff yr *Herald*. Ia, hac hysbysebu hawddgar y papur, Mr Martin Williams.

19 Genod Ysgol y Moelwyn, Blaenau Ffestiniog. Rhagfyr 1988.

20 Enillodd Jeni Lynn Morris o Ddeiniolen gystadleuaeth ar *Slot Sadwrn* S4C ym Medi 1991. Y wobr oedd trip i Old Trafford i gyfarfod un o'i harwyr, Nobby Stiles.

21 Plant Ysgol y Gelli, Caernarfon. Mawrth 1997.

22 Sioe Ffasiynau Ysgol Syr Hugh Owen, Caernarfon. Ebrill 1995,

23 Hogia'r Bontnewydd yn codi arian i Blant Mewn Angen yn 1988. Meilir Gwynedd, Arwel Roberts a Hywel Wigley.

24 Dafydd Gwynne o Gricieth â'i fryd ar fynd yn fodel. Ebrill 1997.

25 David Bellamy yn ymweld â phlant Llanystumdwy yn 1992.

26 Un o grwpiau mwyaf poblogaidd diwedd y naw degau oedd Mega. Tynnwyd y llun yma yn 1998.

27

27 - 29 Plant Ysgol Carmel yn dathlu canmlwyddiant yr ysgol yn Ebrill 1998. Mae Michael Baines yn profi'r bwyd fuasai'r disgyblion bryd hynny wedi ei fwyta, a rhoddodd Dafydd Fôn Hughes dro ar sgwennu ar lechen.

28

29

30 Elin Llwyd Morgan ac Irfon Morris Jones yn beicio llwybrau'r Wyddfa. Awst 1999.

31 Iorwerth Ellis Williams, Ysgol y Ffôr yn llwyddiannus yng Ngŵyl Cerdd Dant Cymru, Pwllheli a'r Cylch. Hydref 1988.

32 Bachgen lwcus iawn. Geraint Roberts o Bontnewydd a enillodd wyliau yng Ngwersyll yr Urdd, Llangrannog. Ionawr 1995.

33 *Jac a'r Goeden Ffa* oedd Sioe Nadolig Ysgol Llanbedrog yn 1989.

34 Plant Ysgol Treferthyr, Cricieth yn cymryd rhan yng ngŵyl y dre. Mehefin 1992.

35 Tîm rygbi Ysgol Nefyn. Mai 1990.

36 Criw mentrus iawn yn cychwyn ar Nofio Noddedig yn y West End, Pwllheli. Hydref 1989.

37 Plant Ysgol Santes Helen, Caernarfon. Nadolig 1992.

38 Ysgol Cymerau, Pwllheli: pencampwyr twrnament 5-bob-ochr. 1998.

39 Dathlu Gŵyl y Geni yn Ysgol Maesincla. Nadolig 1993.

40 Plant Ysgol Rhosgadfan yn eu Sioe Nadolig yn neuadd y pentre. Rhagfyr 1992.

41 Tîm pêl-droed Sgowtiaid Caernarfon yn dathlu llwyddiant. Medi 1993.

42 Cwmni Red Dragon, theatr plant, yn yr Aelwyd, Caernarfon. Medi 1993.

43 Pencampwyr Pŵl Clwb Ieuenctid Caernarfon – Simon Kay, Paul Jones, Paul Williams. Rhagfyr 1995.

44 Rhyfelwyr Celtaidd Ysgol Trefor. Hydref 1991.

45 Taith gerdded noddedig Ysgol Glan y Môr, Pwllheli. Medi 1990.

46

47

46 Criw garddio Ysgol yr Hendre. Medi 1985.

47 Criw o Ysgol Dyffryn Nantlle yn ymprydio am 24 awr i godi arian i achos da. Tachwedd 1990.

48 - 49 Nadolig yn Ysgol Llanbedrog, 1985.

50 Ysgol Llandwrog yn creu papur newydd. Gorffennaf 1990.

51 Drama'r Geni yn Ysgol y Gelli. Nadolig 1992.

52 Sgowtiaid Caernarfon yn 1993.

53 Plant Ysgol Dyffryn Nantlle yn gwthio awyren er mwyn codi arian yn Ninas Dinlle. Tachwedd 1998.

54 Robat Adams, 7 oed, o Lithfaen, ar ôl ei lwyddiant yn Eisteddfod Dyffryn Ogwen. Rhagfyr 1998.

55 Genethod y Guides, Y Felinheli yng Nghaernarfon. Hydref 1985.

56 Ras Hwyl Ysgol Syr Hugh Owen ar Lôn Las, Llanwnda. Hydref 1990.

57 Mirain Haf yn Eisteddfod y Bala. 1997.

58 Anti Catherine a phlant Ysgol Feithrin Llanberis yn eu lleoliad newydd yn yr ysgol. Mawrth 1998.

Am y Gorau

Mae trigolion yr ardal hon yn gystadleuol iawn, iawn. Alla i'm cofio'r un wythnos yn y deng mlynedd ar hugain ddiwetha' na fues i mewn gala nofio, gemau amrywiol neu seremoni cyflwyno tlws pencampwriaethau pŵl, snwcer, darts neu bêl-droed.

   Wrth gwrs, mae hynny yn ogystal â'r holl gystadlu mewn eisteddfodau bach a mawr, lle rydw i wedi gweld dipyn o gythraul canu ar hyd y blynyddoedd . . . mae'n well i mi beidio ag ymhelaethu!

1 Aled Jones Griffiths o Ben-y-groes, enillydd cystadleuaeth siarad cyhoeddus Eisteddfod yr Urdd. 1991.

2 Ysgol Bontnewydd yn fuddugol mewn cwis llyfrau. Ebrill 1992.

3 Cai Burgess, Carmel, yn fuddugol ar yr Unawd Corned o dan 10 oed yng nghystadleuaeth flynyddol Cymdeithas Bandiau Pres Gogledd Cymru. 1992

4 Alun Vaughan o Llanberis, enillydd Ras ieuenctid Yr Wyddfa yn 1994.

5 Colin Jones, Pontrug yn rhedeg yn adran y plant. Gorffennaf 1989. Yn ddiweddarach yn ei yrfa enillodd Ras yr Wyddfa yn 1998 gyda'i amser awr 5 munud 14 eiliad.

6 Criw ifanc, cryf o Efailnewydd yn codi pwysau yng nghwmni Raymond Jones, eu hyfforddwr. Gorffennaf 1998.

7 Y bocsiwr ifanc o Lanrug, Kenny Griffiths. 1992.

8 Rhys Owen, Ysgol Syr Hugh Owen gyda'i waith coed yn Eisteddfod yr Urdd Dyffryn Nantlle, 1990.

9 Pencampwyr dartiau y Penionyn, Y Groeslon. Mai 1995.

10 Tîm dartiau merched y Morgan Lloyd. Caernarfon. Chwefror 1998.

11 Tîm dartiau dynion y Morgan Lloyd, Caernarfon. Mawrth 1985.

12

12 Ysgol yr Hendre oedd Pencampwyr Gala Nofio Arfon, Gorffennaf 1985.

13 Ysgol Rhostryfan yn ennill gala nofio Arfon i ysgolion bach ym Mehefin 1990, ac yn cael eu gwobrwyo gan Faer Bwrdeisdref Arfon, y Cynghorydd Betty Williams.

13

14 Tîm Ras y Tri Chopa Gorsaf Dân Caernarfon. Mehefin 1995.

14

15 Elin Dafydd, pencampwraig nofio o Lanrug. Ionawr 1996.

16 Rhian Mai Hughes o'r Groeslon, disgybl yn Ysgol Dyffryn Nantlle, oedd yn disgleirio ym myd y javelin drwy Wynedd. Gorffennaf 1994.

17 Ffion Wyn Davies, enillydd Gwobr Goffa Richard Burton yn yr Eisteddfod Genedlaethol. Awst 1992.

18

19

18 Pencampwyr tenis bwrdd o Chwilog –
Llion Hughes, Gwenno Emlyn Parry, Sian
Angharad Owen ac Endaf Morris. Chwefror
1993.

19 Meilir Thomas o Drefor, a enillodd Dlws
Coffa Ben Parry. Rhagfyr 1993.

20 Ysgol Llanrug – pencampwyr tîm pêl-
droed yr Urdd

21 Plant Ysgol yr Hendre, Caernarfon,
enillwyr Tarian George McLean yng
Nghanolfan Hamdden Arfon. Ragfyr 1989.

22 Ysgol Cymerau, Pwllheli yn fuddugol yng
Ngala Nofio Dwyfor. Mehefin 1995.

23 Tîm rownderi Ysgol Glan y Môr, Pwllheli.
Gorffennaf 1997.

24 Genod Eifionydd: Emily Glyn, Esyllt
Roberts, Nia Fôn, Nia Mai a Greta Glyn yn
'mochel y glaw ar ôl ennill yn Eisteddfod yr
Urdd. 1986,

25 Enillwyr Ras Rafftiau, Porthmadog – criw tân Llanbedr. Awst 1995

26 Tîm ATS, Porthmadog ytrio peidio suddo yn Ras Rafftiau'r dre. Awst 1995.

27 Nia Clwyd, Eisteddfod Genedlaethol Llanrwst. 1989.

28 Tudur Lloyd Evans, Llanystumdwy yn cystadlu ar y llefaru dan 12 oed yn Eisteddfod yr Urdd, Llŷn ac Elfionydd ym Mhenyberth. 1998.

29 Gwen Roberts, Alun Hughes ac Ann Turner, pan enillodd pentref Beddgelert gystadleuaeth Britain in Bloom yn 1993.

30 Lyndsey Vaughan o Ddeiniolen a enillodd 11 gwobr gyntaf a dau arall fel rhan o ddeuawdau yn Eisteddfod y pentref. 1993.

31 Wyneb cyfarwydd ym myd llefaru oedd Myra Turner o Waunfawr. Gwelir yr holl wobrau a enillodd dros y blynyddoedd. Medi 1992.

32 Alys Mererid Roberts, Rhoslan, yn fuddugol yn yr Urdd ar yr unawd dan 8 oed. Mai 1998.

33

34

33 Hogia'r Berfeddwlad. Awst 1999.

34 Tîm Gofal Tân, Ysgol Eifionydd, Porthmadog. 1993.

35 Côr Ysgol Syr Hugh Owen yn Eisteddfod yr Urdd. 1986.

35

36

37

36 - 38 Llwyddiannau lleol Eisteddfod yr Urdd Dyffryn Nantlle, 1990

36 Cân Actol, Talysarn.

37 Rhodri Thomas, Trefor. Enillydd unawd pres.

38 Plant y Groeslon.

38

39 Ysgol Maesincla, Caernarfon yn Eisteddfod yr Urdd Dyffryn Nantlle, 1990.

40 Tim Cwis Llyfrau Ysgol Eifionydd, Porthmadog. Chwefror 1992.

41 Tîm buddugol Ysgol y Garnedd yng nghystadleuaeth y Cwis Llyfrau. Mawrth 1991.

42 Elfyn Parry yn ymweld ag Ysgol yr Hendre ar ôl ei lwyddiant yng nghystadleuaeth Y Cymro Cryfa. Mawrth 1993

43 Ifan Lloyd Evans yn dathlu ei lwyddiannau ym maes 'bodybuilding'. Mehefin 1996.

Wrth eu gwaith

Yn ystod fy ngyrfa mae'n drist nodi i mi sylwi bod y cyfleodd, yn enwedig i bobol ifanc, i gael gwaith yn yr ardal wedi dirywio'n sylweddol.

Mae oes y ffatrioedd wedi hen ddiflannu ac yn fwy ddiweddar mae'r diwydiant teledu, fu'n ffynnu yma'n ystod yr wyth degau a'r naw degau bron â diflannu'n gyfan gwbwl.

Pwy a ŵyr beth fydd y dyfodol yn ei gynnig; felly llyncu'r chwerw gyda'r melys y mae'r bennod hon.

1 Cemlyn Owen a hogia tân Caernarfon. Mawrth 1996.

Un o fy hoff luniau yn y bennod hon. Roeddwn i ofn trwy fy mhen ôl ac allan wrth dynnu'r llun yma. Bu'n rhaid i mi ddringo i dop y tŵr ymarfer er mwyn cael y llun oeddwn i isho, a finna ddim yn hoff iawn o uchder. Dwi'm yn amau y bu'n rhaid i mi newid fy nhrôns ar ôl mynd adre'r noson honno!

Roedd gan y dynion tân draddodiad: roedd yn rhaid i bwy bynnag oedd yn cael ei lun yn papur brynu cacennau hufen i weddill yr hogiau. Felly ymddiheuriadau i Cemlyn Owen (ac os 'ti'n prynu, mi gymera i grîm horn...).

2 Ian Gill yn ei dyddiau cynnar yn y BBC. Ebrill 1989.

3 Un o fysus enwog Caelloi, Pwllheli. Hydref 1985.

4 Eric Wyn Jones, bws Express Motors, Bontnewydd. Hydref 1988.

5 Wil Llannor yn ei eistedd yn un o Fysys Llythfaen. Mawrth 1992.

6 Dyma olygfa brin iawn o fywyd tu mewn i hen ffatri Ferodo. Agorwyd y ffatri, oedd yn cynhyrchu brêcs ar gyfer ceir, yn 1964 gan greu, ar un adeg, hyd at fil o swyddi. Ond fel mae pawb yn gwybod fe drodd pethau'n hyll pan aeth y ffatri i ddwylo cwmni o America, ac aeth criw o weithwyr ar streic am dros ddwy flynedd er mwyn cael cyfiawnder.
Ar y pryd roedd Caernarfon yn ganolfan gynhyrchu sylweddol gyda ffactrioedd Mckenzie and Brown, Peblig a Ferodo — yn anffodus stori wahanol iawn ydi hi erbyn heddiw...

7 Criw Antur Nantlle. Mawrth 1985.

8

9

10

8 Gweithwyr yn Chwarel Trefor. Ebrill 1985.

9 Hel straeon yn Stryd Llyn: Sulwyn Thomas yn holi'r Cynghorwyr Huw Edwards ac Edgar Williams. Chwefror 1996.

10 Eifion Jones (Jonsi) gyda Sian Pritchard Jones, Rhian Owen ac Eira Wyn Jones. Chwefror yn fyw ar Radio Cymru yn Stryd Llyn, Caernarfon. 1996.

11 Postmyn Caernarfon ar eu rownd feics. Mawrth 1997.

12 Rownd bapur i griw ifanc ym Mhen-y-groes. Ionawr 1988.

13

14

15

13 Bu'r Parchedig Gwenda Richards yn gwasanaethu yn y Tabernacl, Porthmadog, Mae bellach yn weinidog yn Seilo, Caernarfon.

14 Y Parchedig Idris Thomas, Trefor yn paratoi at Daith y Pererinion yn 1992. Eleni mae'n ymddeol ac yn symud yn ôl i'w gynefin yn Neiniolen.

15 Y Parchedig Barry Thomas ar safle Feed My Lambs, Caernarfon. Chwefror 1993. Mae'r adeilad yn edrych yn dra gwahanol erbyn hyn.

16 Un o'r cymeriadau mwyaf lliwgar a welodd tre'r Cofis erioed. Bellach mae Bill Parry wedi symud i'r de, yn galw ei hyn yn Diane ac yn byw ei fywyd fel dynes — a phob lwc iddo fo.

Wna i fyth anghofio'r stori sydd bellach yn chwedl o fewn cyffuniau'r dre: 'Antur Fawr Bill Parry'.

Penderfynodd Mr Parry rhoi cynnig ar deithio rhwng Caernarfon ac Awstralia mewn cwrwgl – doedd neb wedi gwneud hynny o'r blaen. Roedd torf anferth o Gofis wedi ymgasglu ar y cei llechi er mwyn dymuno 'bon voyage' i Boomerang Bill (ei lysenw newydd) ac roedd y band pres yno i chwarae'r gân 'I Am Sailing' wrth iddo ddiflannu i'r pellter.

Fel y digwyddodd hi mi fysa thema'r Titanic wedi bod yn fwy addas. Fel y bŵmerang, dod adre'n ôl yn syth oedd hanes Bill hefyd. Suddodd y cwrwgl ddim yn bell o Dinas Dinlle a welodd o 'run cangarŵ.

17 Y Parchedig Trefor Jones, Caernarfon. Mawrth 1990.

18 Y Parchedig Dewi Morris yn ymadael â Phorthmadog. Dyn tu hwnt o addfwyn, oedd yn gefn personol i mi ar achlysur profedigaeth bersonol. Gorffennaf 1992.

19 Merched Eglwys y Santes Fair, Caernarfon yn gwau at achos da. Mawrth 1993.

20 Swyddogion Cyngor Tref Caernarfon a Gwynedd yn dadorchuddio plac ar wal llyfrgell y dre i gofio hen Bafiliwn Caernarfon lle areithiodd y Prif Weinidog, David Lloyd George. Yn y llun mae ei ferch, y ddiweddar Lady Olwen.

21 Gwen Parry yn helpu plant y Ffôr i groesi am y tro olaf ar ddiwrnod ei hymddeoliad. Ebrill 1992.

22 Bownsars y Dome, Caernarfon ym Medi 1991.

23 Swyddog newydd i orsaf dân Caernarfon? Nage yn Ebrill 1994 ymunodd Mari Gwilym â'r tîm am ddiwrnod.

24 Ken Hughes, Prifathro Ysgol Eifion Wyn tan ei ymddeoliad yn 2012 – arwr i lawer o blant y fro, a threfnydd Pasiant y Plant yn Eisteddfod yr Urdd Eryri 2012. Tynnwyd y llun yma yn 1990.

25 Hogia ambiwlans Pwllheli. Ebrill 1988.

26 Hogia tân tref Pwllheli. 1994.

27 Alan Gwynant, Trefnydd Maes yr Eisteddfod Genedlaethol. Chwefror 1997.

28 Y gyflwynwraig Sian Parry Huws yn holi merched Llanberis ar ddiwrnod Plant Mewn Angen. Tachwedd 1989.

29 Ann Hughes, athrawes yn Ysgol Morfa Nefyn. Gorffennaf 1990.

30 Dafydd Du yn ôl yn ei hen ysgol, Brynrefail, yn darlledu. Ionawr 1997

31 Dylan Parry yn castio yn Amgueddfa Lechi Cymru, Llanberis. 1996.

32 Steve Bristow, perchennog y Gelli Gyffwrdd yn dechrau ar y gwaith o ddatblygu'r parc antur. Hydref 1994.

33 Gwilym Humphreys pan oedd yn Gyfarwyddwr Addysg Cyngor Sir Gwynedd, 1992.

34 Y Parchedig William Williams, Y Felinheli yng nghapel Bethania, Felinheli, cyn i'r capel gael ei weddnewid ddechrau'r naw degau. Fe ddathlodd chwarter canrif yn y capel yn 1998 cyn ymadael am Fanceinion yn 1999.

35 Gilly Harradence, Rheolwraig y Dôm ar y pryd. Mae hi erbyn hyn yn Reolwraig ar Cofi Roc a K2 yng Nghaernarfon. Ebrill 1992.

33

34

35

Hwyl y stryd

Ar un adeg roedd trigolion pob tref a phentref yn y cylch yn dod at ei gilydd ar un diwrnod yn yr haf er mwyn mwynhau'r carnifal lleol. Ro'n i wrth fy modd yn cael ymweld â'r digwyddiadau lliwgar, llawn hwyl rheiny lle byddai pawb yn cyd-dynnu er mwyn dathlu eu cymunedau.

Yn ystod y naw degau bu i'r traddodiad ddirywio a diflannodd bron pob un o'r carnifals – ond yn fwy diweddar dwi'n falch o weld bod y carnifal hen ffasiwn yn mwynhau adfywiad gyda nifer o'r hen ddigwyddiadau yn cael eu hatgyfodi.

Yn fy marn i mae hyn yn nodweddiadol o'r dirwasgiad. Mewn cyfnod lle mae pethau'n dynn mae pobol yn gwerthfawrogi unrhyw esgus i gael saib bach o'u problemau – a braf iawn yw cael gweld yr holl wynebau hapus unwaith eto.

1 Andrea Filippi, perchennog y bwyty Eidalaidd Pompeii yn y dref gynt, yng Ngŵyl yr Eidal ar strydoedd Pwllheli. 1997.

2 Dawnswyr Chwilog yng Ngŵyl Cricieth. Mehefin 1992.

3 Gŵyl Werin Caernarfon. Hydref 1995.

4 Dawnswyr Gŵyl yr Eidal ar faes Pwllheli. 1997.

5 Beicwyr Gŵyl Fai Dyffryn Nantlle a seiclodd o Ysbyty Alder Hey i Ben-y-groes. Mai 1998.

6 Ian Botham yn ymweld â Chaernarfon fel rhan o'i daith o Land's End John O'Groats. Gorffennaf 1995

7 Gŵyl Caernarfon. Gorffennaf 1993.

8 Eric Coutes, Caernarfon yng ngŵyl y dre. Gorffennaf 1993.

9 Prosesiwn Gŵyl Caernarfon yn teithio i lawr Stry y Porth Mawr. Gorffennaf 1995.

10 Tîm y Gladrags yn cymryd rhan yng Ngŵyl Fai Dyffryn Nantlle. Mai 1995.

11 Criw Landerneau, Llydaw yn ymweld â Chaernarfon yn Mai 1995, ac yn dawnsio yn Ysgol Syr Hugh Owen.

12 Râs Bramiau Pen-y-groes, 1992.

13 Criw a gystadlodd yn y Ras Bramiau, Dyffryn Nantlle. 1995.

14 Aelodau o glwb Dyffryn Nantlle yn cario dau sach o lo i ben yr Wyddfa. Hydref 1993.

15 Criw Ieuenctid Dyffryn Nantlle ar daith i fyny'r Wyddfa yn Hydref 1997.

16 - 18 S4C yn ymweld â phentref Llanllyfni. Awst 1994.

Cyfrol gyntaf Arwyn Herald

Drwy Lygad y Camera
Arwyn Herald

www.carreg-gwalch.com